PATAGONIA EXPRESS

colección andanzas

Libros de Luis Sepúlveda
en Tusquets Editores

LUIS SEPULVEDA
PATAGONIA EXPRESS
Apuntes de viaje

1.ª edición: noviembre 1995
2.ª edición: diciembre 1995
3.ª edición: enero 1996
4.ª edición: abril 1996
5.ª edición: noviembre 1996

Diseño de la colección: Guillemot-Navares
Reservados todos los derechos de esta edición para
Tusquets Editores, S.A. - Iradier, 24, bajos - 08017 Barcelona
ISBN: 84-7223-928-4
Depósito legal: B. 43.745-1996
Fotocomposición: Foinsa - Passatge Gaiolà, 13-15 - 08013 Barcelona
Impreso sobre papel Offset-F. Crudo de Leizarán, S.A. - Guipúzcoa
Liberdúplex, S.L. - Constitución, 19 - 08014 Barcelona
Impreso en España

Indice

Apuntes sobre estos apuntes

En la casa mexicana de Mari Carmen y Paco Ignacio Taibo I hay una mesa enorme y en torno a ella se reúnen veinticuatro comensales. Allí escuché una vez cierta frase que sirve de título a un libro de Taibo I: «Para parar las aguas del olvido». Cuando más tarde leí la obra, por una parte creció mi cariño y admiración por el escritor asturiano, y por otra, aprendí que es imposible evitar la despedida de ciertos textos, por más que uno los quiera y vea en ellos una parte fundamental de su intimidad.

Ahora me despido de estos apuntes, compañeros de un largo camino, que siempre estuvieron conmigo para recordarme mi casi ningún derecho a sentirme solo, deprimido, o con la bandera a media asta.

Fueron escritos en diferentes lugares y situaciones. Nunca supe cómo llamarles y todavía no lo sé.

Alguna vez, alguien me dijo que con seguridad debía de tener muchos textos del cajón, y como la aseveración me sorprendió le pedí que se explicara.

—Textos del cajón: esas anotaciones que se hacen sin saber por qué ni para qué —detalló.

No. No son textos del cajón porque ello supondría la existencia de un cajón que, normalmente, forma parte de un escritorio, y yo no tengo escritorio. Ni tengo ni quiero tener, pues escribo sobre un grueso tablón heredado de un viejo panadero hamburgueño.

Cierta tarde de *skatt,* un juego de naipes muy del norte de Alemania, el viejo panadero anunció a sus compañeros de partida que la artritis lo obligaba a tirar la toalla y a cerrar la panadería.

—¿Y qué vas a hacer ahora, viejo roñoso? —le preguntó uno de los amables jugadores.

—Considerando que ninguno de mis hijos quiere seguir en la profesión y que mis máquinas han sido declaradas obsoletas, pues mandarlo todo al infierno y obsequiar lo que todavía emane cariño —respondió el viejo Jan Keller, y a continuación nos invitó a una gran juerga en la panadería.

Ahí recibí el grueso tablón sobre el que amasó pan durante cincuenta años, y sobre él amaso mis historias. Amo este tablón que huele a levadura, a sésamo, a jengibre, al más noble de los oficios. Así que un escritorio, ¿para qué diablos iba yo a querer un escritorio?

Estos apuntes que no sé cómo llamar permanecieron en los rincones de alguna estantería, se cubrieron de polvo y, a veces, buscando antiguas fotos o documentos, volví a toparme con ellos, y confieso que los leí con una mezcla de ternura y orgullo, porque esas páginas garrapateadas o pésimamente mecanografiadas encerraban un intento de comprensión de dos temas capitales muy bien definidos por Julio Cortázar: la comprensión del sentido de la condición de hombre, y la comprensión del sentido de la condición de artista.

Es cierto que en ellos hay mucho de experiencia personal, pero nadie debe ver en eso una suerte de conjura contra el mal de Alzheimer, pues no está en mis planes escribir un libro de memorias.

Me despido entonces de estos apuntes, que en algunos casos abandonaron sus escondites para ser publicados en antologías, revistas y, últimamente, en una edición parcial en Italia.

Finalmente se ordenan en el volumen que usted, lectora, lector, tiene en las manos, gracias a los acertados y fraternos consejos de Beatriz de Moura. Lo he titulado *Patagonia Express*, como un homenaje a un ferrocarril que, aunque ya no existe, pues la poesía se declara poco rentable en nuestros días, continúa viajando en la memoria de los hombres y mujeres de la Patagonia.

Les invito a acompañarme en un viaje sin itinerario fijo, junto a todas esas personas estupendas que aparecen con sus nombres, y de las que tanto aprendí y sigo aprendiendo.

Lanzarote, Islas Canarias
Agosto de 1995

Primera parte
Apuntes de un viaje a ninguna parte

1

El pasaje a ninguna parte fue un regalo de mi abuelo.

Mi abuelo. Un ser insólito y terrible. Creo que recién había cumplido los once años cuando me entregó el pasaje.

Caminábamos por Santiago una mañana de verano. El viejo ya me había invitado a unas seis gaseosas y otros tantos helados, ya muy licuados en mi barriga, y yo sabía que esperaba el aviso de mis ganas de orinar. Tal vez se preocupó verdaderamente por mis riñones al consultarme:

—¿Qué? ¿No quieres mear? Joder, mi niño. Con todo lo que has bebido...

Mi respuesta natural y acostumbrada debía de sonar dramáticamente afirmativa, con juntura de piernas acompañando a las palabras. Entonces él, quitándose el resto del caliqueño que siempre le colgaba de los labios, suspiraría antes de exclamar con el más didáctico de sus tonos:

—Espere, mi niño. Espere y aguante hasta que encontremos la iglesia adecuada.

Pero aquella mañana yo iba decidido a mojarme en los pantalones antes de soportar una vez más las puteadas de algún cura. La broma de inflarme de helados y gaseosas para luego hacerme orinar en las puertas de las iglesias la veníamos repitiendo desde el día en que empecé a caminar y el viejo me transformó en su camarada de correrías, pequeño cómplice de sus bellaquerías de ácrata jubilado.

Cuántas puertas de iglesias habré meado. Cuántos curas, cuántas beatas me habrán insultado.

—¡Chiquillo cochino! ¡¿No tienes baño en tu casa?! —era lo más suave que me soltaban.

—¡Cómo te atreves a insultar a mi nieto, que es un hombre libre! ¡Parásito! ¡Escoria! ¡Asesino de la conciencia social! —les espetaba mi abuelo mientras yo dejaba caer hasta la última gota jurándome que el próximo domingo no le aceptaría ni una Papaya, ni una Bilz, ni una Orange Crush, los refrescos a los que me invitaba con más que generosidad.

Aquella mañana me puse firme con el viejo.

—Sí. Estoy que me meo, Tata. Pero quiero ir a un servicio.

El viejo mordió el resto del caliqueño antes de escupirlo. Enseguida murmuró un «mecagonlaleche», se alejó un par de pasos, pero regresó de inmediato a acariciarme la cabeza.

—¿Es por lo del domingo pasado? —consultó sacando otro cigarro de un bolsillo.

—Claro, Tata. Ese cura quería matarlo.

—Es que esos hijos de puta son peligrosos, mi niño. Pero en fin, si la naturaleza así lo quiere, pues pasaremos a expresiones de mayor consecuencia.

El domingo anterior había vaciado aguas contra la centenaria puerta de la iglesia de San Marcos. No era la primera vez que aquellos vetustos tablones me servían de mingitorio, mas al parecer el cura estaba sobre aviso porque me sorprendió en lo mejor de la meada, cuando era imposible detener el chorro y, jalándome de un brazo, me obligó a volver el cuerpo hacia el abuelo. Entonces, mientras indicaba mi chorreante pito con un dedo profético, el cura bramó:

—¡Se ve que es tu nieto! ¡Se le nota la pequeñez de raza!

Vaya un domingo. Culminé la meada sobre los peldaños de la iglesia, aterrado de ver a mi abuelo arrojar el saco, subirse las mangas de la camisa, y desafiar al cura a un duelo a trompadas que afortunadamente evitaron los monaguillos y beatos del coro, porque el cura respondió al desafío arremangando la sotana. Vaya un domingo.

Una vez aliviado en el respetable urinario de un bar, el viejo decidió que la mejor manera de terminar la mañana era acudir al centro asturiano, donde los domingos se engalanaban especialmente con las fabes de la tierra y el cabrales del exilio republicano.

Para mí, el cabrales era una masa repugnante y

17

apestosa que tan sólo degustaban esos vejetes con boina, que a diario se acercaban a la casa de mis abuelos siempre precedidos por la misma pregunta:

—¿Qué? ¿Se murió el cabrón?

Mientras le hacía honores a un arroz con leche pensé en qué había querido decir el viejo con eso de las «expresiones de mayor consecuencia», y supongo que debí de temblar al adivinar intenciones escatológicas en sus palabras, pero mis temores se disiparon al verlo entrar junto con otros comensales al gran salón adornado con la bandera rojinegra de la CNT. De aquel salón salían los libros de Julio Verne, de Emilio Salgari, de Stevenson, de Fenimore Cooper, que la abuela me leía por las tardes.

Lo vi salir con un libro de formato pequeño. Me llamó a su lado, y mientras lo escuchaba leí el lomo del libro: *Así se templó el acero*. Nicolai Ostrowisky.

—Bueno, mi niño. Este libro lo tienes que leer tú mismo, pero antes de entregártelo quiero de ti dos promesas.

—Las que quiera, Tata.

—Este libro será una invitación para un gran viaje. Prométeme que lo harás.

—Lo prometo. Pero, ¿adónde viajaré, Tata?

—Posiblemente a ninguna parte, mas te aseguro que vale la pena.

—¿Y la segunda promesa?

—Que un día irás a Martos.

—¿Martos? ¿Dónde queda Martos?

—Aquí —dijo golpeándose el pecho con una mano.

2

«Dos puntas tiene el camino y en las dos alguien me aguarda», dice una conocida canción chilena. Lo jodido es que estas dos puntas no limitan un camino lineal, sino lleno de curvas, vericuetos, baches y desviaciones que conducen invariablemente a ninguna parte.

La lectura de *Así se templó el acero*, lectura por cierto lenta y llena de consultas, se encargó de conducirme por primera vez a la región donde los sueños se llaman ninguna parte. Como todos los jóvenes que leyeron la obra de Ostrowisky, quise ser también Pavel Korchaguín, el sufrido protagonista, el compañero Komsomol, que, aun a costa de sacrificar su vida, no escatima sacrificios para cumplir con su misión de joven proletario. Soñé que era Pavel Korchaguín, y para hacer realidad aquel sueño me hice militante de las Juventudes Comunistas.

Mi abuelo aceptó a regañadientes la pérdida dominical del nieto, y pasó varios meses enfurecido con el traductor al español de *Así se templó el acero*. Al parecer su lectura debía llevarme al sendero de las ideas libertarias como primer paso del viaje a ninguna parte, pero su enojo duró hasta el día en que le anuncié que los estudiantes habíamos declarado un día de huelga solidaria con los mineros del carbón. Sólo una vez lo vi beber más de la cuenta y fue el día de la huelga. Achispado por el vino, reprimía sus lagrimones al tiempo que murmuraba:

—Mi nieto va a la huelga, carajo, es mi sangre.

Mi abuelo. Recuerdo la primera vez que lo obligué a leer un ejemplar de *Gente Joven,* la revista de los jóvenes comunistas. Leyó atentamente las cuatro hojas, y concluyó que, pese a estar publicada por una pandilla de acólitos del poder estalinista, no estaba mal para iniciarse en la comprensión del verdadero orden:

—No el que impone el Estado, cojones, sino el natural, el que deviene de la fraternidad entre los hombres.

Ser un joven comunista colmó de felicidad a mis padres, porque un joven comunista tenía que ser el primero en la escuela, el mejor deportista, el más culto, el más educado, y en la casa debía ser un monumento a la responsabilidad y al trabajo. En cada joven comunista germinaba el ser social colectivo y solidario que caracterizaría la nueva sociedad. De tal manera que fui una especie de monje rojo, ascético y aburrido. Una verdadera peste, como me diría años más tarde cierta chica que no quiso ser mi novia, al preguntarle por sus —para mí— incomprensibles razones.

Ser un joven comunista durante más de seis años significó tener el pasaje a ninguna parte bajo la piel. Todos mis amigos de infancia tenían rumbos definidos; algunos viajarían a estudiar a Estados Unidos, otros a Uruguay, otros a Europa, otros se incorporarían al trabajo. Yo sólo aspiraba a no moverme de mi puesto de combate.

Tenía dieciocho años cuando quise seguir el ejemplo del hombre más universal que ha dado América Latina, el Che. Entonces llegó la hora de pagar un suplemento al pasaje a ninguna parte.

Siempre evité tocar el tema de la cárcel durante
la dictadura chilena. Lo evité, porque, por una
parte, la vida siempre me ha resultado apasionante
y digna de vivirla hasta el último suspiro, de manera que tocar un accidente tan obsceno era una
vil manera de ofenderla. Y por otra parte, porque
se han escrito demasiados —por desgracia, en su
mayoría, muy malos— testimonios al respecto.

Dos años y medio de mi juventud los pasé en-
cerrado en una de las más miserables cárceles chilenas, la de Temuco.

Lo peor de todo no era el encierro en sí mismo,
pues dentro la vida proseguía, y a veces más inte-
resante que fuera. Los «prigué» —prisioneros de
guerra— de mayor preparación —y ahí estaba todo
el cuerpo docente de las universidades del sur—
formaron varias academias, y así muchos de los
prigué aprendimos idiomas, matemáticas, física
cuántica, historia universal, historia del arte, historia de la filosofía. Un profesor de apellido Iriarte
impartió durante dos semanas un magnífico semi-
nario sobre Keynes y el razonamiento político de

los economistas contemporáneos, al que asistieron, además de un centenar de presos, varios oficiales del ejército. Andrés Müller, periodista y escritor, disertó sobre los errores tácticos de los comuneros de París ante la estupefacción de la soldadesca que custodiaba el taller de calzado, bautizado por nosotros como Gran Salón del Ateneo de Temuco. Otro ilustre prigué, Genaro Avendaño —lo «desaparecieron» en 1979—, emocionó a presos y militares con una dramatización del discurso de Unamuno en Salamanca.

Hasta llegamos a tener una pequeña biblioteca con títulos que fuera estaban prohibidísimos, gracias a la curiosa censura practicada por el suboficial encargado de filtrar los libros que nos mandaban los familiares y amigos. Nunca dejamos de agradecerle que catalogara entre los libros de primeros auxilios el ejemplar de *Las venas abiertas de América Latina* que engalanaba la biblioteca. Hasta clases de alta cocina tuvimos. Cómo olvidar la pasión de Julio Garcés, ex cocinero del Club de la Unión, la Meca de la aristocracia chilena, cuando defendía la sutil grasa del conejo como insustituible en la preparación de una buena salsa de hígado del mismo animal, e insistía en que era fundamental cocinar el caldillo de congrio con el mismo vino blanco que luego alegraría la mesa. Años más tarde encontré a Garcés en Bélgica. Era el chef de un prestigioso restaurante de Bruselas, y con orgullo me enseñó los dos diplomas con que la guía Michelín había premiado su arte culinario. Eran dos diplomas elegantes que flanqueaban de honor a un tercero, escrito a mano en una hoja de cuaderno: el Michelín de Temuco, que le concedimos por un maravilloso *soufflé* de recuerdos del mar, preparado con amor, una lata de mejillones, restos de pan y hojitas aromáticas cultivadas en una maceta que todos cuidábamos con especial celo para que los gatos de la prisión no se la comieran.

Novecientos cuarenta y dos días duró la permanencia en aquella tierra de todos y de nadie. Estar dentro no era lo peor que podía ocurrirnos. Era una forma más de estar de pie sobre la vida. Lo peor llegaba cuando, más o menos cada quince días, nos llevaban al regimiento Tucapel para los interrogatorios. Entonces comprendíamos que por fin llegábamos a ninguna parte.

4

Los militares tenían un concepto bastante elevado de nuestra capacidad destructora. Nos preguntaban acerca de planes para asesinar a todos los oficiales de la historia militar de América, para volar puentes y sepultar túneles, y para preparar el desembarco de un temible enemigo externo que no podían identificar.

Temuco es una ciudad triste, gris y lluviosa. Nadie diría que es apta para el turismo, y sin embargo el regimiento Tucapel llegó a ser algo así como una permanente convención internacional de sádicos. En los interrogatorios, además de los militares chilenos que mal que mal eran los anfitriones, participaban simios de la inteligencia militar brasileña —eran los peores—, norteamericanos del Departamento de Estado, paramilitares argentinos, neofascistas italianos y hasta unos agentes del Mossad.

¿Cómo olvidar a Rudi Weismann, chileno, amante del sur y los veleros, que fue torturado e interrogado en el dulce idioma de las sinagogas? Rudi, que se jugó entero por Israel —participó en un Kibutz pero fue más fuerte la nostalgia de la Tierra del Fuego y regresó a Chile—, no fue capaz de soportar esa infamia. No consiguió entender que Israel apoyara a esa pandilla de criminales, y Rudi Weismann, que siempre fue un monumento al buen humor, se tornó seco como una planta olvidada. Un amanecer lo encontramos muerto en el saco de dormir. Su expresión hizo innecesaria cualquier autopsia: Rudi Weismann había muerto de tristeza.

El comandante del regimiento Tucapel —y no cito su nombre por un elemental respeto al papel— era un fanático admirador del mariscal Rommel. Cuando un prisionero le resultaba simpático lo invitaba a reponerse de los interrogatorios en su oficina. Ahí, luego de asegurarle que todo lo que ocurría en el regimiento servía a los intereses sacrosantos de la patria, lo invitaba a una copita de Korn —alguien le mandaba de Alemania el insípido licor de trigo— y lo obligaba a escuchar una conferencia sobre el Afrikakorps. El tipo era hijo o nieto de alemanes, pero su aspecto no podía ser más chileno: rechoncho, piernas cortas, cabellera oscura y rebelde. Podía pasar muy bien por un camionero o vendedor de frutas, pero hablando de Rommel se transformaba en la caricatura de un guardia hitleriano.

Al final de la conferencia teatralizaba el suicidio de Rommel, hacía sonar los tacones, se llevaba la diestra a la frente saludando a una invisible bandera, musitaba un «*adieu geliebtes Vaterland*», y simulaba pegarse un tiro en la boca. Nosotros confiábamos en que un día lo hiciera de verdad.

Había otro curioso oficial en el regimiento; un teniente que pugnaba por ocultar una homosexualidad que se le escapaba por todos lados. Los soldados le apodaban Margarito, y él lo sabía.

Todos los prigué percibíamos que Margarito sufría por no poder adornar su cuerpo con objetos verdaderamente bellos, y el pobre tipo los suplía con la parafernalia permitida por el reglamento. Cargaba una pistola del cuarenta y cinco, dos cargadores, un puñal corvo del cuerpo de comandos, dos granadas de mano, una linterna, un *walkie talkie,* las insignias de su grado y las alas plateadas de paracaidista. Presos y soldados opinábamos que se veía como un árbol de Navidad.

Este sujeto a veces nos sorprendía con gestos generosos y aparentemente desinteresados —ignorábamos que el síndrome de Estocolmo lo genera una perversión militar— y, de repente, después de los interrogatorios nos llenaba los bolsillos con cigarrillos o con las tan queridas aspirinas Plus Vitamina C. Una tarde me invitó a su cuarto.

—Así que usted es literato —dijo ofreciéndome una lata de Coca-Cola.

—He escrito un par de cuentos. Eso es todo —respondí.

—No lo he invitado para interrogarlo. Siento mucho todo lo que ocurre, pero así es la guerra.

Quiero que hablemos de escritor a escritor, ¿le sorprende? También se han dado grandes literatos entre la gente de armas. Piense en don Alonso de Ercilla y Zúñiga, por ejemplo.

—O en Cervantes —agregué.

Margarito se incluía entre los grandes. Era su problema. Si quería adulación, la tendría. Bebía la Coca-Cola y pensaba en Garcés, mejor dicho en la gallina de Garcés, pues, aunque parezca increíble el cocinero tenía una gallina que se llamaba *Dulcinea*.

Una mañana saltó el muro que separaba a los presos comunes de los prigué, y al parecer se trataba de una gallina de profundas convicciones políticas ya que decidió quedarse con nosotros. Garcés la acariciaba y suspiraba diciendo: «Si tuviera una pizca de polvo de pimientos y otra de comino les haría un escabeche de ave que jamás han probado».

—Quiero que lea mis poesías y me dé su opinión, la más sincera —dijo Margarito al entregarme un cuaderno.

Salí de allí con los bolsillos llenos de cigarrillos, caramelos, bolsitas de té y una lata de mermelada U.S. Army. Aquella tarde empecé a creer en la fraternidad entre escritores.

De la cárcel al regimiento y viceversa nos transportaban en un camión de ganado. Los soldados se cuidaban de que hubiera suficiente mierda de vaca en el suelo del camión antes de ordenar que nos tendiéramos boca abajo y con las manos en la nuca. Nos vigilaban cuatro uniformados armados con fusiles GAL, uno en cada esquina del camión. Casi todos eran muchachos traídos de las guarniciones del norte, a los que el riguroso clima del sur mantenía constantemente agripados y de pésimo humor. Tenían orden de disparar contra los bultos —nosotros— al menor movimiento sospechoso, y también contra todo civil que intentara acercarse al camión. Pero con el paso del tiempo la disciplina se fue relajando y hacían la vista gorda ante el paquete de cigarrillos o la fruta caída desde una ventana, o frente a la muchacha hermosa y audaz que corría junto al vehículo lanzando besos con las manos y gritando: «¡Aguanten, compañeros! ¡Venceremos!».

En la cárcel, como siempre, nos esperaba el comité de bienvenida presidido por el doctor «Flaco» Pragnan —ahora eminente psiquiatra en Bélgica—. En primer lugar examinaban a los que no podían caminar y a los que venían con alteraciones cardiacas, luego a los que traían algún hueso dislocado o costillas torcidas. Pragnan era un experto en reconocer la cantidad de energía eléctrica que nos había transmitido el paso por la parrilla, y pacientemente indicaba quiénes podían ingerir líquidos en las siguientes horas. Finalmente llegaba la hora de comulgar, que era cuando recibíamos las aspirinas Plus Vitamina C, y las tabletas anticoagulantes contra los hematomas internos.

—*Dulcinea* tiene las horas contadas —le dije a

Garcés y busqué un rincón para leer el cuaderno de Margarito.

Las páginas escritas con fina caligrafía rezumaban amor, miel, sufrimientos sublimes y flores olvidadas. No necesité pasar de la tercera página para saber que Margarito ni siquiera se molestaba en plagiar las ideas del poeta mexicano Amado Nervo, sino que copiaba sin más sus poemas.

Llamé a Peyuco Gálvez, un profesor de castellano, y le leí un par de versos.

—¿Qué te parece, Peyuco?

—Amado Nervo. El libro se llama *Los jardines interiores*.

Me había metido en un lío y de los gordos. Si Margarito llegaba a saber que conocía la obra de Nervo, un poeta por cierto azucarado, entonces era yo y no la gallina de Garcés quien tenía las horas contadas. El asunto era grave, así que esa misma noche lo llevé al Consejo de Ancianos.

—Margarito, ¿será marica entrante o poniente? —consultó Iriarte.

—No jodas. Es mi pellejo el que está en juego —alegué.

—Lo pregunto en serio. A lo mejor el milico quiere tener un romance contigo y darte el cuaderno fue como dejar caer un pañuelito de seda. Y tú lo recogiste, huevón. Tal vez ha copiado los poemas para que descubras en ellos un mensaje. He conocido a muchos maricas que seducían muchachitos pasándoles *Demián*, de Hermann Hesse.

Si Margarito es de los entrantes, entonces tendrás que ser no su Amado Nervo sino su amado nervio. Y si es de los ponientes, bueno, se me ocurre que debe doler menos que una patada en los huevos.

—Qué mensaje ni nada. El milico te dio los poemas como suyos y debes decirle que te gustaron mucho. Si se tratara de mandar un mensaje, entonces debió darle el cuaderno a Garcés; es el único que tiene un jardín interior. O tal vez Margarito no sepa de la maceta —opinó Andrés Müller.

—Pongámonos serios. Algo tendrás que decirle, y Margarito no debe abrigar ni la menor sospecha de que conoces los versos de Nervo —indicó Pragnan.

—Dile que los poemas te gustaron, pero que los adjetivos te resultan un tanto exagerados. Cítale a Huidobro: el adjetivo, cuando no da vida, mata. Con eso le demuestras que leíste atentamente sus versos y que le haces una crítica de colega a colega —sugirió Gálvez.

El Consejo de Ancianos aprobó la idea de Gálvez, pero yo pasé dos semanas con el alma en un hilo. No podía dormir. Ansiaba que me llevaran a la sesión de patadas y picanazos eléctricos para devolver el condenado cuaderno. Durante ese tiempo llegué a odiar al buenazo de Garcés:

—Compadre, si todo sale bien, si además del comino y el polvo de pimientos consigues un frasquito de alcaparras, ¡ay, mi viejo!, nos vamos a dar un banquete con la gallina.

A los quince días, ¡por fin!, me vi tendido en el colchón de boñigas boca abajo y con las manos en la nuca. Pensé que me estaba volviendo loco: iba contento al encuentro de algo que se llama tortura. Regimiento Tucapel. Intendencia. Al fondo el sempiterno verde del cerro Ñielol, sagrado para los mapuches. El cuarto de interrogatorios estaba precedido por una sala de espera, como en una consulta médica. Allí nos sentaban en un banco con las manos atadas a la espalda y una capucha negra sobre la cabeza. Nunca entendí la razón de la capucha, porque, una vez dentro, nos la quitaban y podíamos ver a los interrogadores, a los soldaditos que con expresión de pánico giraban la manivela del generador eléctrico, a los sanitarios que nos pegaban los electrodos en el ano, en los testículos, en las encías, en la lengua, y luego auscultaban para decidir quién fingía y quién se había desmayado de verdad en la parrilla.

Lagos, un diácono de los traperos de Emmaus, fue el primer interrogado de aquel día. Desde hacía un año le daban duro preguntándole por el origen de unas docenas de viejos uniformes militares encontrados en las bodegas de los traperos. Un comerciante que vendía desechos militares se los había donado. Lagos aullaba de dolor y repetía una y otra vez todo lo que la soldadesca quería escuchar: esos uniformes pertenecían a un ejército invasor que se aprestaba a desembarcar en las costas chilenas.

Esperaba mi turno cuando unas manos me quitaron la capucha. Era el teniente Margarito.

—Sígame —ordenó.

Entramos a una oficina. Sobre el único escritorio vi una lata de Cocoa y un cartón de cigarrillos que obviamente premiarían mis comentarios sobre su obra literaria.

—¿Leyó mis poesías? —consultó indicándome una silla.

Poesías. Margarito hablaba de poesías y no de poemas. Un sujeto lleno de pistolas y granadas no puede decir poesías sin que suene ridículo y amariconado. Entonces aquel tipo me dio asco, y decidí que si meaba sangre, siseaba al hablar y podía cargar baterías con sólo tocarlas, no iba a rebajarme adulando a un milico maricón y ladrón del talento ajeno.

—Usted tiene una bonita caligrafía, teniente. Pero sabe que esos versos no son suyos —dije devolviéndole el cuaderno.

Lo vi temblar. Aquel sujeto cargaba armas como para matarme varias veces y, si no quería mancharse el uniforme, podía ordenar a otro que lo hiciera. Temblando de ira se puso de pie, arrojó al suelo todo lo que había sobre el escritorio, y gritó:

—¡Tres semanas al cubo, pero antes pasas por el pedicuro, subversivo de mierda!

El pedicuro era un civil, un terrateniente al que la reforma agraria había expropiado varios miles de hectáreas, y se desquitaba participando como voluntario en los interrogatorios. Su especialidad era levantar las uñas de los pies, lo que ocasionaba terribles infecciones.

Conocía el cubo. Mis primeros seis meses de prisión fueron de aislamiento total en el cubo, un habitáculo subterráneo que medía un metro cincuenta de largo, por igual medida de ancho, por igual medida de alto. Antiguamente en la cárcel de Temuco había habido una curtiembre y el cubo servía para almacenar grasas. Las paredes de cemento hedían aún a grasa, mas al cabo de una semana los propios excrementos se encargaban de convertir el cubo en un lugar muy íntimo.

Solamente cruzado en diagonal era posible estirar el cuerpo, pero las bajas temperaturas del sur de Chile, el agua de las lluvias, y los orines de los soldados, invitaban a abrazar las piernas, a permanecer así, deseando ser cada vez más pequeño, hasta conseguir habitar alguna de las islas de mierda que flotaban y sugerían vacaciones de ensueño. Tres semanas estuve ahí, contándome películas de Laurel y Hardy, recordando palabra por palabra las novelas de Salgari, Stevenson, London, jugando largas partidas de ajedrez, lamiéndome los dedos de los pies para protegerlos de las infecciones. En el cubo juré y rejuré que nunca me dedicaría a la crítica literaria.

5

Un día de junio de 1976 se acabó el viaje a ninguna parte. Gracias a las gestiones de Amnistía Internacional salí de la cárcel, y aunque rapado y con veinte kilos menos, me llené los pulmones con el aire denso de una libertad limitada por el miedo a perderla nuevamente. Muchos de los compañeros que quedaron dentro fueron asesinados por los militares. Mi gran orgullo es saber que no olvido ni perdono a sus verdugos. He obtenido muchas y bellas satisfacciones en mi vida, pero ninguna se compara con la alegría que da abrir una botella de vino al saber que alguno de esos criminales fue ametrallado en una calle. Entonces levanto la copa y digo: «Un hijo de puta menos, ¡viva la vida!».

A algunos de mis compañeros que sobrevivieron los he encontrado por el mundo, a otros no los volví a ver, pero todos ocupan un lugar de preferencia en mis recuerdos.

Un día, a fines de 1985, en un bar de Valencia me topé sorpresivamente con Gálvez. Me contó que vivía en Italia, en Milán, que tenía la nacionalidad italiana y cuatro bellísimas hijas, todas italianas. Luego del abrazo largo y llorado nos largamos a charlar de los viejos tiempos, y naturalmente que la gallina fue parte del tema.

—Que en paz descanse —dijo Gálvez—. Fui el último de los antiguos que salió en libertad, a finales del setenta y ocho, y la llevé conmigo. Vivió feliz y gorda en mi casa de Los Angeles hasta que murió de vieja. Está enterrada en el jardín bajo una lápida que dice: «Aquí yace *Dulcinea*, señora de caballeros imposibles, emperatriz de ninguna parte».

Segunda parte
Apuntes de un viaje de ida

1

Sabía que la frontera estaba cerca. Una frontera más, pero no la veía. Lo único que interrumpía el monótono atardecer andino era el reflejo del sol en una estructura metálica. Allí terminaba La Quiaca y la Argentina. Al otro lado estaba Villazón y el territorio boliviano.

En algo más de dos meses había recorrido el camino que une Santiago de Chile con Buenos Aires, Montevideo con Pelotas, São Paulo con Santos, puerto en el que mis posibilidades de embarcarme con rumbo a Africa o Europa se fueron al infierno.

En el aeropuerto de Santiago los militares chilenos sellaron mi pasaporte con una enigmática letra «L». ¿Ladrón? ¿Lunático? ¿Libre? ¿Lúcido? Ignoro si la palabra apestado empieza con ele en algún idioma, pero lo cierto es que mi pasaporte provocaba repugnancia cada vez que lo enseñaba en una naviera.

—No. No queremos chilenos con pasaporte con ele.

—¿Puede decirme qué diablos significa la ele?

—Vamos, usted lo sabe mejor que yo. Buenas tardes.

A mal tiempo buena cara. Tenía tiempo, todo el tiempo del mundo, así que decidí embarcarme en Panamá. Entre Santos y el Canal mediaban unos cuatro mil kilómetros por tierra y eso es una bicoca para un tipo con ganas de hacer camino.

Trepado a veces en autobuses destartalados, en camiones y en ferrocarriles lentos y desganados pasé a Asunción, la ciudad de la tristeza transparente, eternamente barrida por el viento de desolación que se arrastra desde el Chaco. De Paraguay regresé a Argentina y, atravesando el desconocido país de Humahuaca, arribé a La Quiaca con la intención de continuar viaje a La Paz. Luego..., bueno, eso ya se vería. Lo importante era capear los tiempos de miedo de la misma manera que los barcos en alta mar capean los temporales costeros.

Me sentía hostigado por aquellos tiempos de miedo.

En cada ciudad en la que me detuve visité a antiguos conocidos o hice amagos de nuevas amistades. Salvo contadas excepciones, todos me dejaron el ánimo amargado por un sabor uniforme: las gentes vivían en y para el miedo. Hacían de él un laberinto sin salida, acompañaban de miedo las conversaciones, las comidas. Hasta los hechos más intrascendentes los revestían de una prudencia impúdica y, por las noches, no se acostaban para soñar días mejores, o pasados, sino para precipitarse en la ciénaga de un miedo oscuro y espeso, un miedo de horas muertas que al amanecer los sacaba de la cama ojerosos y aún más atemorizados.

Cierta noche del viaje la pasé en São Paulo tratando de amar, incluso de manera desesperada. Fue un fracaso, y lo único rescatable fueron los pies de la compañera buscando los míos con un lenguaje honesto de piel y amanecida.

—Qué mal lo hicimos —creo que comenté.

—Cierto. Como si nos estuvieran observando. Como si usáramos cuerpos y tiempo prestados por el miedo —respondió.

Los pies. Aquellos gorditos inútiles se acariciaban mientras compartíamos un cigarrillo.

—En otro tiempo fue tan fácil llegar al país de la felicidad. No estaba en ningún mapa, pero todos sabíamos llegar. Había unicornios y bosques de marihuana. Tenemos la frontera extraviada —agregó.

Llegué a La Quiaca al atardecer, y en cuanto bajé del tren sentí la bofetada del frío andino. Quise abrir la mochila y sacar un pullóver, pero rechacé la idea optando por caminar rápido para entrar en calor. Al trote llegué hasta una boletería.

—Mañana quiero viajar a La Paz. ¿Puede decirme a qué hora sale el tren?

El boletero cebaba mate. Sostenía una gran calabaza con engarzaduras de plata. Oía bien la yerba. Dejaba escapar el aroma de esa mezcla dichosa entre amarga y dulce. Pensé en lo bien que me sentaría un mate con ese frío.

El boletero me observó, recorrió mi rostro de oreja a oreja, de la frente al mentón, y enseguida desvió la mirada. Era el miedo; consultaba el afiche con las fotografías de los buscados. No me invitó a un mate, y antes de responder dejó a un lado la calabaza.

—Eso tenés que preguntárselo a los bolivianos. La frontera está a dos pasos, pero ahora no atienden. —El boletero hablaba cantadito, como los salteños o los riojanos.

Junto a la estación había un hotel desangelado, como todos los hoteles de pueblos sin importancia. Ya en el cuarto —una cama de bronce, un velador cojo, una palmatoria con dos dedos de vela, un espejo, un lavatorio de hojalata, una jarra de agua y un paño tieso que juraba ser toalla—, abrí la mochila y me puse un pullóver grueso. En el cuarto hacía tanto frío como fuera y la cama estaba bien para una noche. Las sábanas, almidonadas hasta la exageración, tenían la misma tiesura arbórea de la toalla, pero las mantas eran gruesas y de lana. Recordé a alguien, ¿quién diablos sería?, que afirmaba que el frío era el mejor aliado de la higiene hotelera.

Salí del hotel para conocer La Quiaca y me eché a caminar por calles silenciosas y solitarias, entre casas de barro que se confundían con los montes cercanos según avanzaban las sombras.

44

A las pocas cuadras encontré un negocio abierto. Olía a carne asada y la urgencia de las tripas me sentó frente a una mesa cubierta con papel de embalaje.

—Sólo tenemos asado de tira —dijo el mozo. Era un petisito de espaldas anchas, piernas cortas, y lucía una pelambrera tiesa como un cepillo que enmarcaba su rostro totémico. Y hablaba arrastrando las eses, como si las dijera con los dientes pegados.

La carne estaba deliciosa. Chorreaba grasa al hincarle el cuchillo y era un placer untar el pan en ella. El vino era un tanto agrio, pero alegraba el cuerpo.

Luego de comer pedí una copa de caña y dejé que me estremeciera la formidable recompensa de un eructo. Entonces vi al viejo.

Vestía una gastada cazadora de piel marrón. Entró, y dejó unos guantes de trabajo y una linterna de latón sobre la mesa.

El viejo asintió con movimientos de cabeza a las indicaciones del mozo y, al recibir la jarra de vino, bebió un largo trago con los ojos cerrados, con la satisfacción del que viene de una agotadora jornada. Me acerqué a él.

—Disculpe, caballero. ¿Es usted empleado del ferrocarril?

—Sí y no —respondió.

Su respuesta me sorprendió de manera incómoda, pero enseguida vi que me señalaba una silla.

—Sí, en cuanto al ferrocarril. No, en cuanto a lo de empleado. Soy obrero.

—Entiendo. Disculpe.

—¿Chileno, don?

—Así parece.

—¿Querés comer algo?

Le agradecí indicando que ya lo había hecho, y le consulté acerca del horario del tren a La Paz. En ese momento llegó la carne. Al viejo le brillaron los ojos y con la servilleta limpió tenedor y cuchillo.

—Buen provecho.

—Se agradece, don. ¿Querés un vino?

Sin esperar mi respuesta hizo chascar los dedos pidiendo otro vaso. Se metió en la boca el primer trozo de carne y adoptó una actitud soñadora.

—Lo mejor de la vaca es el asado de tira. Qué noble bicho la vaca, lleno de bifes por todos lados, pero lo mejor es el asado de tira.

—Opino lo mismo. Salud.

—Salud. ¿Sabés lo que falta aquí en el norte? El chimichurri. Eso es lo que falta. Al verso la rima y al asado el chimichurri.

—Totalmente de acuerdo.

El viejo masticaba con disciplina macrobiótica. Algunas gotas de jugo trataban de escapar por las comisuras de sus labios, pero la lengua actuaba con velocidad implacable. Luego de masticar a conciencia bajaba los bolos con abundante vino.

—A La Paz decís que vas. Cuidate de la puna

allá arriba. Si sentís el sorocho, comé cebolla. Me-
tele cebolla a la máquina. A La Paz. El tren sale
entre las ocho y las doce, no es muy inglés que
digamos. ¿Tenés boleto?

Hablaba sin mirarme. Toda su atención se
centraba en el trozo de carne que desaparecía en
una sutil agonía de jugo, hasta que el plato quedó
limpio.

—No. Todavía no lo compro —dije con ganas
de despedirme, pero el viejo ordenó otra jarra de
vino.

—Perdoná la descortesía, pero tenía un hambre.
Más de doce horas sin morfar. Imaginate.

—No se preocupe.

—Así que no tenés boleto. Entonces tenés que
cruzar la frontera con tiempo. Los milicos la abren
a las siete y siempre hay una fila esperando.

—Trataré de llegar entre los primeros.

—Macanudo, pero no basta. En la boletería los
bolivianos te van a decir que no hay cupo, que
todo está vendido. Eso te van a decir. Que los pa-
rió. ¿Y sabés lo que tenés que hacer? Doblar un
billete, uno de cincuenta mangos, ¿entendés a lo
que voy?

—Entiendo. Gracias por el dato.

El viejo empezó a mirarme con picardía. De la
solapa de la cazadora sacó un largo alfiler de plata
y se escarbó los dientes.

—Así que chileno, don.

—En alguna parte hay que nacer.

—También está mal la cosa por allá, ¿no?

«La cosa.» Si algo odiaba eran las preguntas respuestas, y en esos tiempos de miedo hablar de la cosa no era lo más recomendable.

—Como en todas partes, supongo.

—Tenés razón. El mundo está podrido.

Tampoco era aconsejable filosofar sobre la podredumbre universal con un desconocido. Hice además de pararme, y el viejo me palmoteó un brazo.

—¿Sabés lo que pasa, chilenito?

—No. ¿Qué es lo que pasa?

—Que me quedé con hambre. Eso es lo que pasa. ¿Qué tal si ordenamos otra porción de asado y vos te hacés cargo de la mitad?

Entonces pensé en esos jodidos tiempos de miedo, en el viaje realizado comiendo generalmente solo y a la rápida, y se me ocurrió que permanecer unas horas aferrado a esa mesa era una forma de resistencia.

—Conforme, pero yo invito al vino.

—¡Macanudo! —exclamó el viejo tendiéndome la mano.

Comimos. Bebimos. Hablamos de un pibe que prometía, un tal Maradona, muy parecido a Chamaco Valdés en el dominio del balón, comparamos los puños de Oscar Ringo Bonavena con los de Martín Vargas, coincidimos en que la emoción de Carlitos era incomparable, pero que a la hora de medir las voces, la de Julio Sosa, el varón del tango, no admitía comparaciones. La mesa cubierta con papel de embalaje se transformó en una festividad familiar, en una tarde cualquiera de Latinoamérica compartida por un argentino y un chileno. Los tiempos de miedo se quedaron fuera, y un portero invisible e implacable se encargó de no permitirles el paso, por indeseables.

Al final de la cena el viejo me recordó la necesidad de llegar temprano a la frontera, y realizó el gesto de empuñar la mano izquierda con el pulgar extendido, me señaló un punto que podía estar cayendo del cielo o a su espalda.

—Está muy cerca. La frontera empieza con el tren —dijo.

En el hotel la cama estaba muy fría, acaso húmeda, y tardé bastante en calentarme. Sentía el cansancio del viaje, y de las cinco jarras de vino vaciadas con el ferroviario. Quería dormir, pero temía perder el tren. La idea de permanecer un día más en La Quiaca no terminaba de gustarme. Por fortuna tenía suficientes cigarrillos y el tabaco consiguió acortar la noche.

El amanecer llegó sin aviso, como si una poderosa mano hubiese rasgado con violencia la cortina de sombras, y una luminosidad que hería las pupilas entró a raudales por la ventana. Miré el reloj; eran las seis de la mañana. Buena hora para marchar hasta la frontera.

Al poco me topé con la curiosa arquitectura que viera el día anterior: un puente de hierro. En un extremo, una casamata adornada con los colores de la bandera argentina. En el otro, una segunda casamata con los colores de la bandera boliviana. Por debajo del puente no pasaba ningún río.

A las siete y pico de la mañana unos gendarmes argentinos todavía somnolientos abrieron la frontera. Había mucha gente, mujeres, hombres, niños de rostros enigmáticos, que hablaban entre ellos en su siseante aymara mientras las bolas de coca les hinchaban los pómulos. Cargaban maletas, fardos, atados de hierbas, de frutas, de verduras, gallinas transportadas cabeza abajo, con los ojos blancos y las alas torpemente extendidas, utensilios de cocina, artefactos indefinibles. Al otro lado del puente esperaba un grupo humano similar, y recordé las palabras del ferroviario al ver que las vías del tren nacían junto a la casamata boliviana.

Los gendarmes argentinos revisaron mi pasaporte, compararon la foto con las del afiche de los buscados, y me lo devolvieron sin palabras. Crucé el puente. Adiós, Argentina. Buenos días, Bolivia.

Los bolivianos repitieron la ceremonia, pero esta vez con preguntas que formuló un soldado.

—¿Adónde viaja?

—A La Paz.

—¿Tiene boleto?

—No. Por eso vengo temprano.

—¿Cuántos días permanecerá en Bolivia? ¿Tiene un domicilio en La Paz?

—No. De ahí sigo viaje.

—¿Adónde?

¿Adónde? Dudé. Pensé en un pequeño mapa escolar de Sudamérica que cargaba en la mochila. Era un mapa lleno de nombres sugerentes, y podía decir Lima, Guayaquil, Bogotá, Cartagena, Paramaribo, Belem, pero la única palabra que acudió a mis labios fue una que escuchara decir a mi abuelo.

—A Martos..., en España.

El soldado me autorizó a seguir, pero sentí que me clavaba una mirada de odio. Eran los ojos de un dios iracundo. Ojos de fuego negro en un rostro de piedra.

En la estación de Villazón seguí las recomendaciones del ferroviario, y el billete de cincuenta pesos cuidadosamente doblado transformó las negativas del boletero en quejas contra los que acudían a comprar su boleto a última hora. La estación de Villazón era más pequeña que la de La Quiaca. Tenía dos andenes de cemento limpios hasta la pulcritud.

—El tren llega entre ocho y diez, se llena entre diez y doce, y parte cuando se completa el cupo —me informó el boletero.

Tenía tiempo para conocer parte del lugar. A una vendedora le compré dos empanadas y una jarra de café. Sentado sobre la mochila vi cómo la estación se transformaba en un alegre mercado de comidas, frutas, artefactos y animales de corral. Complacido, absorbía esa realidad desconocida.

A las ocho el sol empezó a pegar fuerte. Reflejándose en los muros encalados multiplicaba su efecto cegador. Limpiaba las gafas de sol cuando escuché una voz conocida, la voz del viejo ferroviario.

—Volá, chilenito. Volá.

Giré la cabeza. El viejo pasó por mi lado sin mirarme, pero mascullando entre dientes:

—Volá, chilenito, volá antes de que te agarren.

El sol andino detuvo las horas, la rotación del planeta, los caprichosos giros del universo. No había una nube en el cielo, ni un pájaro, pero de pronto, como si hubiesen escuchado una señal secreta, el eco de una trompeta de alarma sonando desde siglos en la soledad de los cerros, los seres totémicos apilaron sus mercancías y una inefable ráfaga de miedo que sopló en los andenes barrió el alegre mercado.

Al mirar hacia el comienzo de las vías, hacia la frontera, vi el piquete de soldados que bajaba de un camión. Respondiendo a los gestos de un oficial avanzaron en abanico, preparados para repeler una emboscada. Y yo estaba solo, sentado sobre la mochila.

En ese mismo instante se dejó oír el pitazo que me obligó a mirar hacia el lado opuesto, y vi a la vieja locomotora diésel entrando a la estación. Era un gran animal verde, con una cicatriz amarilla en el vientre, y arrastraba el convoy bufando como un viejo dragón. Vi pasar los vagones grises como una sucesión de pescados tristes, con las palabras La Paz repetida en las agallas.

La locotomora se detuvo al llegar al puente, porque, como el ferroviario dijera, la frontera empezaba con el tren. Entonces me empujaron contra un muro, y ahí permanecí con las piernas muy abiertas y las manos apoyadas sobre una superficie de cal, mientras unas manos enguantadas vaciaban la mochila y pisoteaban libros, fotos, recuerdos refractarios a los tiempos del miedo, hasta que a culatazos me hicieron tenderme boca abajo y poner las manos en la nuca.

Pasaron unas dos horas hasta que los soldados volvieron a practicar el juego de la caza y tendieron a mi lado a otro mochilero. Se trataba de un argentino acólito de los Hare Krishna que, con el sol reflejado en su cabeza rapada y el cuerpo envuelto en sus estrambóticos ropajes color naranja, no dejaba de desearles paz eterna.

—¿Qué ocurre, hermano? —preguntó en voz baja.

—Cierra la boca, o te la cierran.

—Pero, ¿qué hemos hecho, hermano?

—Tal vez llamar hermanos a los hijos únicos.

Las horas pasaron y los calambres se fueron haciendo menos dolorosos. Persistían, sí, las ganas de fumar, y desde esa perspectiva de reptil humillado miraba las ruedas del tren, los pies ágiles de los pasajeros, los fardos y maletas que de pronto perdían peso y ascendían. Cuando después del pitazo las ruedas se pusieron en movimiento, sentí que se llevaban la única posibilidad de dejar atrás esos tiempos de miedo, que me quedaba preso en ellos tal vez para siempre.

—Les dije la verdad, toda la verdad —se quejó el Hare Krishna.

—Yo también. Hay gente de poca fe.

—Les dije que de La Paz vuelo a Calcuta. Les mostré el pasaje, los papeles, todo.

—Te lo he dicho; hay gente de poca fe.

—Voy en busca de la luz. Esta es una prueba, hermano.

—No hinches las pelotas.

—La luz está en Calcuta, hermano.

A las cinco de la tarde nos autorizaron a levantarnos. Los dos teníamos la piel de los brazos y la del cuello levantada por la insolación. Luego de un trámite muy rápido nos despojaron de dinero y relojes para proceder enseguida a expulsarnos de Bolivia por indeseables.

Al otro lado del puente nos esperaba el viejo ferroviario, con una garrafa de agua y un pote de crema para las quemaduras.

—Tuvieron suerte, muchachos. Esos desalmados pudieron llevarlos al cuartel y adiós pampa mía. Tuvieron suerte.

—Llegaré a Calcuta —aseguró el Hare Krishna.

No dudé que lo conseguiría y, mientras me alejaba con el viejo, deseé fervientemente que lo hiciera pronto, pues si ese mochilero calvo y vestido de naranja llegaba a Calcuta, por lo menos uno, entre miles, recuperaría su frontera extraviada, esa que nos permite el paso al territorio de la felicidad.

2

A partir de 1973, más de un millón de chilenos dejaron atrás el país enfermo, flaco y largo. Unos, empujados al exilio, otros, huyendo del miedo a la miseria, y otros con la simple idea de tentar suerte en el norte. Estos últimos tenían una sola meta: Estados Unidos.

La mayoría convertía sus escasos bienes en un pasaje en bus hasta Guayaquil o Quito. Pensaban que una vez allí bastaba dar un par de pasos y ya estarían en el norte, en la tierra prometida.

Tras varios días de viaje bajaban de los buses acalambrados, sudorosos, hambrientos, y, luego de las primeras averiguaciones respecto de cómo continuar el viaje, descubrían que Sudamérica es enorme y que, para mayor desgracia, la carretera panamericana desaparecía tragada por la selva colombiana. Se quedaban en mitad del mundo como barcos a la deriva, sin presente ni futuro.

Uno de estos tipos era el pianista del Ali Kan, un individuo flaco, largo y blanco como una vela. Los ojos siempre enrojecidos y los dos dientes amarillos montados sobre el labio inferior le daban un aire de conejo triste.

No conseguía reprimir las lágrimas cada vez que se acordaba de Valparaíso, de cuando tocaba en la orquesta del American Bar, centenario lugar de reunión de los bohemios de aquel puerto y que los militares borraron del mapa con la imposición de un toque de queda que se prolongaría trece años.

—Ese sí que era un lugar decente. Las chicas no eran putas; eran *misses*. Y los marinos dejaban estupendas propinas a los músicos, no como en este corral de cerdos —se quejaba, y enseguida se maldecía por haber caído (porque a este lugar no se llega, se cae) en Puerto Bolívar.

Puerto Bolívar está a orillas del Pacífico, muy cerca de Machala, al sur de Guayaquil. El mar se hace presente en la brisa, que consigue a veces disipar el vaho húmedo y caliente que llega del interior. Se le puede ver y oír, pero no oler.

En Puerto Bolívar embarcan el banano ecuatoriano para todo el mundo. A unos cinco kilómetros del espigón se abre un agujero grande como un estadio de fútbol y de profundidad desconocida. Ahí van a dar toneladas de bananos no aptos para la exportación, ya sea porque empezaron a madurar antes de tiempo, ya sea porque presentan sospechosas manchas de parásitos, o porque el dueño de la plantación, o el transportista, olvidó pagar alguno de los impuestos fijados por las mafias del ramo.

El lugar se llama La Olla y está siempre hirviendo. Las miles de toneladas de frutas en constante descomposición forman una pasta espesa, nauseabunda y burbujeante. Todo lo que no sirve va a dar a La Olla, y ese monstruoso guiso se nutre no sólo de materias vegetales: también los adversarios de los caciques políticos se pudren allí, con varias onzas de plomo en el cuerpo o mutilados a machetazos. La Olla hierve sin descanso. Es tal su hedor que espanta el aroma del mar y los gallinazos ni siquiera se acercan.

—Lárgate. Lárgate ahora mismo, antes de que el maldito hedor te mate la voluntad y termines como yo, pudriéndote vivo aquí —me repetía el pianista cada vez que nos encontrábamos.

Llegué a Machala porque quería salir pronto de Ecuador, y la única manera de precipitar los viajes consiste en no hacerle ascos a ningún trabajo. De tal manera que acepté un contrato semestral de la Universidad de Machala por el que me comprometía a explicar a un puñado de alumnos el tejido sociológico de los medios de comunicación. Apenas llegué sentí deseos de marcharme, pero estaba sin un real en los bolsillos y debía esperar hasta el fin del contrato para recibir el salario. Una formalidad burocrática muy tropical era la culpable de que a los profesores invitados nos pagaran una vez concluido el semestre, y gracias a los servicios de un gestor que se quedaba con la mitad de la pasta.

Para economizar un poco del dinero que no

teníamos, un grupo de profesores —nos tratábamos de licenciados— integrado por un uruguayo, un argentino, dos chilenos, un canadiense y un quiteño que odiaba el trópico con toda su alma, decidimos vivir juntos en una gran habitación pintada color verde escándalo, con techo de calaminas y vistas a la selva. Allí colgamos seis hamacas, y por las tardes nos mecíamos fumando, charlando de nuestros proyectos para cuando nos pagaran, vaciando cajones de cerveza y mirando las aspas del ventilador que giraban inútiles sobre nuestras cabezas.

En Machala no había mucho que ver y menos que hacer. El cura encargado de censurar las películas que se proyectaban en un cine al aire libre no destacaba por su buen gusto, de tal manera que, para paliar el calor de las noches impregnadas del hedor de La Olla, no quedaba más remedio que ir a darse una vuelta por el casino o por los burdeles de Puerto Bolívar. Al casino íbamos para disfrutar del aire acondicionado, y porque nunca faltaba alguno de nuestros alumnos perdiendo en minutos el dinero que nosotros recibiríamos por un semestre de sudadera.

—Sírvanles una ronda a los *teachers* —ordenaba el alumno con los ojos fijos en la bola de la ruleta.

Nosotros agradecíamos y le deseábamos suerte.

A los burdeles íbamos con gusto, especialmente al Ali Kan, un enorme galpón de tablones y techumbre de calaminas, administrado por doña Evarista, una chilena sesentona y gorda que sudaba y lloriqueaba sobre nuestros hombros en sus ataques de nostalgia por Santiago o Buenos Aires, las ciudades en las que hiciera sus primeras armas en el oficio. Invitar a doña Evarista a bailar un tango significaba una botella de whisky y un cartón de cigarrillos por cuenta de la casa. Todos bailábamos aceptablemente el tango, menos el canadiense, siempre ocupado en tomar apuntes sobre todo lo que veía y escuchaba para escribir una novela que, según él, sería mejor que *Cien años de soledad*. La gorda hervía de amor por el canadiense y cada vez que lo veía escribiendo hacía callar a las chicas.

En el Ali Kan trabajaban unas veinte mujeres que atendían a sus clientes en unos cuartos diminutos y sobre colchones tirados en el suelo. A veces, cuando algún marinero vigoroso hacía temblar con sus desafueros amorosos el establecimiento levantado sobre palafitos, los huéspedes del salón le dedicábamos un sentido aplauso. Así pasaban las noches. Las noches del Ali Kan.

Al día siguiente empezaba la rutina del trópico: despertar con el hedor de La Olla, saltar de la hamaca, conseguir que el espinazo recuperara su posición vertical, vaciar los zapatos de cucarachas y alacranes, darse una larga ducha, salir al vaho pegajoso de la calle, beber un tinto, el formidable café cerrero en la cantina, caminar cinco cuadras y, al llegar a la universidad, darse otra ducha antes de empezar las clases.

En mi curso de sociología de los medios de comunicación se habían inscrito quince alumnos, pero sólo llegué a conocer a tres y siempre me pregunté qué diablos buscaban allí. Uno de ellos era ya, a los veinte años, un experto en enfermedades venéreas; las había tenido todas y presumía de ello. Otro, hijo de un magnate bananero, dedicaba las mañanas al concienzudo estudio de catálogos de autos deportivos. Vivía obsesionado por conseguir un Porsche. Que en la región apenas hubiera carreteras no le ocasionaba el menor problema. Y el tercero, bueno, nunca conseguí averiguar si al menos sabía leer.

A los tres meses empecé a darle la razón al pianista del Ali Kan. Tenía que salir de aquel condenado lugar.

La sociedad machaleña nunca nos miró bien. Eramos seis tipos, cinco de nosotros extranjeros, que vivían a crédito, y que frecuentaban los burdeles. No nos miró bien, pero tampoco nos jodió la vida. Nos prodigaban una suerte de aceptación basada en la repulsión y la desconfianza, que duró hasta la tarde en que una de las chicas del Ali Kan, con lágrimas en los ojos, nos contó que el cura le había impedido la entrada al cine, a ella y a otras dos compañeras del oficio que se quedaron sin ver *Cat Ballou.*

—Y con lo que nos gusta el cabrón ese del Lee Marvin —precisó lloriqueando.

Jodidos pero caballeros. Los seis mosqueteros

nos fuimos de inmediato a cantarle unas cuantas verdades al cura.

—Al cine no entran mujeres de mal vivir —espetó el clérigo.

—El cine es cultura. Es posible que en alguna película encuentren el valor moral que las haga cambiar de vida. Recuerde que es usted quien elige las películas —alegó el argentino

—No lo niego. Pero deben venir acompañadas de personas de probada moralidad.

—¿Por ejemplo en compañía de profesores de la universidad? —consultó el canadiense.

—¿Ustedes? ¿Arriesgarían sus carreras por venir al cine con putas? No me hagan reír.

Desde aquel día, cada viernes asistimos al cine con las chicas que quisieran hacerlo. Parado en la puerta, el cura nos miraba con odio, pero no podía impedir la entrada de nuestras acompañantes. Cumplimos con un deber de caballeros, mas la sociedad machaleña no lo vio así. Los profesores locales dejaron de invitarnos a sus casas, los policías nos miraban con sorna y empezó a correr el rumor de que combinábamos la pedagogía con la chulería. Había llegado el momento de salir de allí. El problema era cómo. Todavía faltaba mucho para el final del semestre.

La oportunidad de retomar el camino se me presentó una noche en el casino. Allí estaba disfrutando de la fresca temperatura que arrancaba estornudos a los jugadores y permitía a las damas de

Machala lucir sus tapados y cuellos de piel. Estaba solo. Mis colegas se habían marchado al Ali Kan porque la noche anterior había ocurrido un milagro: el canadiense, con media botella de ron en el cuerpo, se había decidido por fin a sacar a bailar a la gorda. Tango, salsa, merengue, valsecitos criollos, pasillos, sanjuanitos, bailó de todo. Convertido en una peonza, el canadiense declaró que su proyecto de novela se iba definitivamente a la mierda y repartió sus hojas de apuntes a los clientes. Iba a vivir, intensamente y junto a su gran amor, declaró abrazado a doña Evarista, que no cabía en sí de alegría. La gorda nos invitó a una cena de compromiso a la que naturalmente asistiría, pero deseaba sentir primero aquel maravilloso frío que hacía que uno abandonara con gusto el casino. En eso estaba cuando una mano me remeció por un hombro.

Era un tipo al que conocía de vista. Sabía que era empresario del transporte bananero, dueño de camiones y de barcos. El hombre se expresaba con el hablar lento y cadencioso de los guayaquileños.

—Oiga, *teacher,* ¿usted cree en la ley de probabilidades?

—Algo hay de cierto.

—Vea: he apostado seis veces seguidas al cero, y no ha salido. ¿Cree que la próxima saldrá?

—La única forma de saberlo es arriesgándose.

—Así me gustan los machos —dijo, y lanzó un manojo de llaves sobre el tapete.

—Chrysler del año. Me costó veinte mil dólares.

El *croupier* se excusó por un momento, fue hasta una sala contigua y regresó a la carrera.

—Diez mil y un cinco por ciento de comisión para la casa.

—Quince mil, y doblo la comisión.

—Se acepta la apuesta. Hagan juego, señores.

La bola empezó a dar vueltas y el guayaquileño seguía sus órbitas con mirada impasible. Apoyaba las manos en los bordes sin el menor signo de alteración. Era un jugador de verdad. Su lasitud indicaba que deseaba perder. Cuando la bola se detuvo y cayó en el número siete se encogió de hombros.

—Qué joda, *teacher*. Pero salimos de la duda.

—Lo siento.

—Así es la suerte. Vamos al bar. Lo invito a un trago.

En la barra nos presentamos. El tipo quiso saber más de mí, y luego de escuchar en silencio, me habló como a un tratante de bananos.

—Usted me cae del cielo, *teacher*. Se va a venir a vivir un par de meses conmigo a Rocafuerte. Tengo un hijo a punto de terminar el bachillerato y quiero que sea abogado. Usted me lo alecciona para el ingreso a la universidad y yo le soluciono cualquier problema económico. ¿Trato hecho?

—A las universidades ecuatorianas entra el que quiere.

—Mi hijo va a estudiar a los Estados Unidos. Allá hay exámenes de admisión y esas vainas. ¿Dos mil dólares al mes? Hagamos algo más práctico, *teacher*; aquí le extiendo un cheque en blanco. Mañana lo cambia. Saque mil, dos mil dólares, lo que necesite. El asunto es que usted está en mi casa el fin de semana. Y ahora lárguese, *teacher*. Después de perder me gusta estar solo.

Llegué al Ali Kan pasada la medianoche. Doña Evarista había preparado docenas de empanadas que sabían mejor que el caviar beluga en aquel infierno culinario donde la dieta no conocía más que arroz y patacones de banano. Aquella noche festejamos a lo grande. Doña Evarista reconoció la firma del cheque y dijo que se trataba de uno de los hombres más ricos de la región, así que se me terminaban las preocupaciones y podía considerarme de nuevo en movimiento.

Comimos empanadas a dos carrillos, vaciamos incontables botellas de vino chileno y, después de cantar los tangos que arrancaban cascadas de lágrimas a la gorda, el canadiense nos sorprendió con un discurso subido a una mesa.

—Compañeros, quiero decirles que esta mujer es maravillosa y que mañana me vengo a vivir con ella. Voy a ser el *man* de esta casa, y ustedes, compañeros, hermanos míos, de ahora en adelante son como nuestros hijos. ¡Que vivan los hijos de puta!

Al día siguiente fui al banco, retiré una considerable cantidad de dinero, pagué deudas, repartí algunos billetes entre mis colegas y, mochila al hombro, marché a la terminal de buses. Allí me esperaba el pianista, largo, flaco y blanco como una vela.

—No sabes cuánto me alegra, muchacho. Buena suerte —dijo apretándome la mano.

Antes de subir al bus respiré hondo, inundé mi cuerpo del aire podrido que llegaba desde La Olla y por los parlantes de la plaza escuché la voz del cura amenazando con excomulgar a todos los que fueran a ver la película *Kramer contra Kramer*, acusándola de ser una apología del divorcio.

—Esta tarde se llena el cine —murmuró el pianista.

Varios años más tarde, y muy lejos del Ecuador, en una publicación literaria de Quebec reconocí el nombre del canadiense de Machala. Había publicado un cuento titulado «Todos los gatos son pardos en el trópico». Era un bello relato, y en él se refería a cierto tiempo vivido con cinco tipos en un país invadido por el hedor del infierno. Era un buen cuento, como buenos fueron aquellos días pendientes de un sueldo que no llegaba, bajo las aspas de un ventilador que no producía ninguna brisa, pero compartidos con mujeres y hombres de gran nobleza que me ofrecieron lo mejor de sí mismos.

3

Aquella mañana me levanté antes del amanecer, empaqué mis pocas pertenencias y dije adiós a la hacienda La Conquistada. Era un bello lugar, un formidable oasis de verdor en medio del páramo, y me sentí ridículo, humillado por tener que salir de allí con el sigilo y la precipitación de un prófugo. Pero lo había pensado durante la noche y, como señaló Lichtenstein, hay que ser consecuentes con las determinaciones que nos aconseja la almohada.

La cocinera me vio abandonar el portal de la casa y simuló mirar a otro lado. Al llegar al portón, lo encontré cerrado con una gruesa cadena y un candado. Por fortuna la tapia no era alta y la salté sin problema.

Había avanzado un centenar de metros cuando un camión se detuvo a la vera del camino.

—¿Para dónde va? —preguntó uno de los ocupantes de la cabina.

—A Barranco. A coger el aerotaxi —respondí.

—Si no le molesta viajar acompañado podemos llevarlo atrás. Vamos hasta Ibarra —dijo el chófer.

—Fantástico. Muchas gracias —contesté y trepé a la parte trasera.

El camión transportaba unos cerdos enormes que me recibieron como a un camarada más. En un rincón, sentado sobre la mochila, pensé que había estado a punto de dar el gran salto y llegar a Europa, pero la vida me torcía el camino una vez más. A modo de consuelo me dediqué a admirar el panorama de cerros y quebradas bañadas por la violenta luminosidad del amanecer en el páramo.

De pronto sentí que los cerdos no me quitaban los ojos de encima. Alguien, no recuerdo quién, escribió que los cerdos tienen miradas perversas. No era el caso. Los cerdos que me miraban tenían ojillos inocentes, atemorizados. Tal vez intuían que habían emprendido el viaje final.

—Algo tenemos en común y creo que ya lo advirtieron. Pero yo conseguí escapar a tiempo. Ustedes terminarán convertidos en morcillas, compañeros. Qué diablos. Así es la vida.

Tres semanas atrás me encontraba en Ambato, la ciudad de las flores y, con toda razón, de las mujeres más bellas del Ecuador. Iba camino del Coca, en la Amazonia, con la intención de hacer un reportaje sobre las instalaciones petroleras. Como siempre, andaba corto de recursos y una revista norteamericana me ofrecía una bonita suma por el trabajo. En Ambato debía contactar con un ingeniero que me llevaría en su *jeep* hasta Cuenca, desde donde proseguiría el viaje en una avioneta de la Texaco.

Así que allí estaba, en la terraza de un café, feliz de mirar a las chicas que hacían honor al prestigio de la ciudad. De pronto, y para hacer descansar los ojos de tanta belleza, le eché un vistazo al periódico. Había un aviso de curiosa redacción:

«Se necesita joven educado, con buenos antecedentes y facilidad de escritura, para colaborar en la redacción de las memorias de un destacado hombre público. Se dará preferencia a postulantes con antepasados españoles. Interesados concertar cita al teléfono...».

Llamé, picado por el bicho de la curiosidad. Al teléfono se puso una mujer de voz autoritaria que no atendió a ninguna de mis preguntas sobre la identidad del destacado hombre público, pero que me sometió a un preciso interrogatorio, sobre todo en lo que concernía a mis antepasados españoles. Al final y para mi sorpresa dijo que me aceptaba, mencionando de paso unos honorarios que mandaron al cuerno el reportaje sobre las instalaciones del Coca. Antes de despedirse me dio instrucciones para llegar a la hacienda, que distaba unos ochenta kilómetros de Ambato, y precisó que me esperaba al día siguiente.

Veinticuatro horas más tarde llamaba al portón de La Conquistada, un imponente caserón de estilo colonial rodeado de jardines. En el portal de la casa colgaban varias docenas de jaulas con aves de la selva, y ahí me recibió la mujer que el día anterior hablara conmigo por teléfono.

—Son de mi hija. Adora los pájaros. Espero que no le moleste el canto por las mañanas. Los tucanes son especialmente bulliciosos.

—De ninguna manera. Es la mejor forma de despertar.

—Pase. Le mostraré su habitación.

La entrada de la casa estaba presidida por el retrato, a tamaño natural y de cuerpo entero, de un individuo ataviado como Cortés, Almagro o cualquiera de los conquistadores. El guerrero apoyaba las manos en la espada.

—El adelantado don Pedro de Sarmiento y Figueroa. Somos descendientes directos. A mucha honra —dijo la mujer.

—Mis gotas de sangre española no son de tan noble linaje —comenté.

—Toda la sangre española es noble —respondió.

El cuarto que me asignó era sobrio. Tenía una cama, una mesilla de noche y un armario que gritaban su antigüedad. En un rincón había un curioso mueble que primero se me antojó un modelo precursor de los colgadores de ropa, mas, al detenerme ante el crucifijo que tenía enfrente, supe que se trataba de un reclinatorio.

—Ahora póngase cómodo. En media hora le esperamos en el comedor.

Durante el almuerzo comprobé que los descendientes del adelantado no eran muchos, y que con ellos desaparecía la estirpe.

La mujer, que era viuda, llevaba las riendas de la hacienda y encontraba verdadero placer humillando a las indígenas del servicio doméstico y a los peones. Tenía una hija, Aparicia, que rondaba los cuarenta años y se movía con torpeza, como disculpándose ante los muebles por medir cerca de un metro noventa y cargar con un cuerpo que, aunque bien formado, era voluminoso. Desde el primer momento aquella mujer me pareció sacada de alguna pintura barroca; los maestros del barroco pintaron petisitas generosas de carnes. Por alguna razón a uno de ellos se le fue la mano y pintó a Aparicia, una mujeraza generosa en carnes y, para no alterar la escuela, decidió quitarla del cuadro. Su rostro podría haber sido bello, pero lo arruinaba el rictus de amargura, acaso de odio, heredado de la madre. Aparicia consumía los días bordando y, aunque siempre he aborrecido las comparaciones zoológicas, al acercarme a ella no podía dejar de percibir el característico olor a leche agria que sueltan las hembras en celo. El jefe del hogar era el destacado hombre público, padre de la viuda y anciano protagonista de la lucha por el poder de los años veinte. Lo llamaban con el garciamarqueano rango de coronel y se alimentaba de papillas de yuca endulzadas con miel de palma. Finalmente estaba el padre Justiniano, un viejo sacerdote que se movía con ademanes de gallinazo y apestaba a alcohol por todos los poros.

La vida en La Conquistada transcurría inmersa en una rutina inquebrantable: a las siete de la mañana debía asistir a misa en la capilla familiar. Después del desayuno, charlaba un par de horas con el anciano coronel y con el cura. Enseguida venía el almuerzo, precedido por una acción de gracias. Por las tardes, pasada la siesta, tomaba café con los dos viejos hasta la hora del rosario. Tras la cena pasábamos al salón, donde Aparicia bordaba, los viejos disputaban partidas de dominó y la viuda me narraba hazañas del adelantado.

Una mañana, a la semana de estar ahí, salí al portal y vi a Aparicia hablándole a uno de sus pájaros. En cuanto se dio cuenta de mi presencia se le subió la sangre a los pómulos y respiró agitada. Al parecer la había sorprendido en una situación muy íntima, e intenté salir del trance con un comentario amable.

—Tiene pájaros muy lindos. ¿Cómo se llama ése? —dije señalando una jaula al azar.

—Pájaro toro —respondió sin mirarme.

—¿Puede hacer que cante?

—Es mejor que ese pájaro no cante —dijo, y se alejó dejando un aroma de leche agria en el portal.

Permanecí frente a la jaula. El ave medía un palmo, su plumaje era negro, brillante, casi azul. En la cabeza tenía un penacho de plumas verdes y grises, y de la pechuga le colgaba un pectoral de plumas parecidas a las del pavo real. Acerqué una mano y el pájaro, tal vez asustado, hinchó el pectoral como un sapo y soltó un sonido totalmente ajeno a su frágil belleza. Un sonido tosco y grosero, parecido al rugir de las reses alarmadas por la tormenta.

Una mujer de limpieza se acercó simulando quitar el polvo de la baranda.

—No haga cantar a ese pájaro, patrón. Es un pájaro muy desgraciado. Cada vez que canta allá en la selva los demás pajaritos se van y lo dejan solo. Pobrecito. Es el que más quiere la señorita Aparicia.

Por las tardes, la viuda sonreía satisfecha al verme revisar el cuaderno de notas, pero yo empezaba a ver todo eso como una muy bien pagada pérdida de tiempo. Los recuerdos del destacado hombre público resultaron estar bastante desteñidos por la arterioesclerosis y por la censura del cura. De liberal no le quedaba nada al pobre viejo, y a veces se le confundían ciertos episodios vividos con otros que conociera en los libros. Así, no era extraño que se refiriera al asesinato de Eloy Alfaro como consecuencia de las guerras napoleónicas.

A los quince días me dije que la vida en La Conquistada eran mis primeras vacaciones en muchos años. Comía bien, dormía como nunca, respiraba un aire inmejorable, bebía buenos vinos españoles, la viuda me puso al tanto del rentable negocio de la ganadería y Aparicia se encargaba de que mi ropa estuviera siempre limpia e impecablemente planchada. A veces, al sentir que su aroma de hembra en celo me soliviantaba la sangre, llegué a pensar que con un par de botellas en el cuerpo me atrevería a visitar la cama de la bordadora.

Cada mañana Aparicia se sentaba a mi lado durante la misa. Nunca pude entender lo que decía arrodillada frente a una virgen tallada por Capiscara y que era el orgullo de la familia. Nunca entendí sus palabras, pero en sus gestos podía adivinar que aquella mujer, lejos de rezar, imprecaba, maldecía, quién sabe si hasta blasfemaba por su desdicha de ser tan grande y corpulenta.

En esas dos semanas llené un par de cuadernos con los recuerdos del coronel y acotaciones del cura. De todo el grupo, el viejo clérigo era quien más me interesaba. Por las tardes, a la hora del rosario, tenía ya varias botellas de caña metidas en el cuerpo y entonces le salía todo el rencor contra los habitantes de la Amazonia, a los que llamaba salvajes, herejes, degenerados, acusándolos de ser los causantes de su perdición. La figura alcohólica del cura me fue seduciendo, sobre todo después de que la cocinera me contara que en su juventud había sido misionero entre los aucas.

—Iba para santo, pero las mujeres selváticas le sorbieron los sesos y la castidad. Como todas son bonitas y andan en cueros, se olvidó del celibato y

74

dicen que tuvo cinco hijos en la selva. Luego se volvió loco pensando que esos pobres bastardos andan por ahí, desnudos, comiendo carne cruda y saltando de árbol en árbol como los micos.

Yo trataba de soltarle la lengua al cura, pero el borrachín era parco de palabras. Cuando la caña ingerida no le permitía sostenerse sobre las piernas, la viuda y Aparicia lo llevaban en andas hasta su cama. Al poco tiempo regresaban restándole importancia al carácter dipsómano de su eminencia, la viuda me ofrecía una copa de coñac y hablábamos de las memorias del coronel, de cuánto tardaría en la redacción definitiva y de la alegría que sentiría al verlas publicadas.

La noche anterior a mi poco digna salida de La Conquistada la viuda me propuso un nuevo trabajo: esta vez se trataba de escribir la biografía del adelantado. Su oferta me hizo temblar de emoción, pues incluía un viaje a Europa.

—Naturalmente que deberá viajar a España para documentarse en los archivos de Indias. Pero de eso hablaremos cuando las memorias del coronel sean una realidad.

Aquella noche, por más vueltas que di en la cama, no pude juntar los párpados. Esa familia, con todo el anacronismo y estupidez de que hacía gala, era para mí como una mina de oro. Sin querer me había topado con la mayor de las garimpas. Por primera vez en la vida me trataban, consideraban y pagaban por lo que siempre había querido hacer: escribir. Y además, ¡oh flor de suerte!, me pondrían rumbo a Europa.

Salí del cuarto y fui hasta la cocina con la intención de beber un vaso de leche. Junto a la cocinera estaba un hombre al que había visto domando un potro. Vestía enteramente de blanco, con el pañuelo rojo de los montubios anudado al cuello.

Mientras la cocinera calentaba una cacerola con leche, el tipo me observó de arriba abajo y, al hacerlo, sonreía de una manera bastante cínica.

—Ver para creer —dijo soltando una carcajada.

—¿Le parezco divertido?

—Para ser sincero, me parece mucho más que eso; me parece pendejo.

—Párele, compadre. Yo no lo conozco y usted me insulta. ¿Puedo saber por qué?

—No le digas nada, José. No te metas en líos —aconsejó la cocinera.

—¡Carajo! Alguien tiene que decírselo.

—Decirme, ¿qué?

Entonces el tipo se incorporó, caminó hasta la puerta, y desde allí me hizo señas para que lo siguiera. Sin salir del estupor miré a la cocinera.

—Vaya con él, patrón. Parece mentira, pero usted no sabe nada de lo que pasa.

Salimos a la fría noche del páramo. Con otro gesto el tipo me indicó que íbamos a la caballeriza. Una vez ahí, me ofreció asiento en un cajón y me alargó una botella.

—Echese un trago. Creo que lo necesita.

Bebí. Sentí que me destrozaba las tripas. Aquello era «puro», el alcohol más fuerte que sueltan los trapiches. Tosí mientras el tipo me daba golpecitos en la espalda.

—Perdone que lo tratara de pendejo, amigo. Es que se lo merece.

—Conforme. ¿Tiene un cigarrillo para pasar el veneno?

De un bolsillo de la camisa sacó dos cigarros largos, me ofreció uno, y al darme fuego me miró a los ojos como se mira a un imbécil.

—Bueno, desembuche de una vez.

—Lo están cebando, amigo. Como a un puerco.

—No le entiendo una palabra.

—¡Ay, señor, ten piedad de los pendejos! Lo están cebando, amigo, pero no para llevarlo al matadero. Lo van a casar.

—¿Qué diablos dice?

—Lo van a casar. La viuda ya decidió que usted es el hombre indicado para la grandota. Soltero, no es de por acá, no conoce a nadie, no tiene familia y, perdone si lo ofendo, como todos los literatos usted debe de ser de aquellos que viven en la luna, así que jamás meterá las narices en los negocios de la viuda. Usted apesta a marido.

—Está loco. ¿De dónde saca semejantes estupideces?

—Se nota que usted no es de por acá, de otro modo ya habría caído en la cuenta. Piense: para la misa lo sientan junto a la grandota, en la mesa lo sientan junto a la grandota, para el rosario otra vez junto a la grandota. ¿Y quién le limpia y le plancha la ropa? La grandota. ¿Quién le hace la cama y le pone flores en el cuarto? La grandota. ¿Ha visto lo que borda? Sábanas, amigo. Sábanas nupciales. Ninguna mujer de por acá hace eso en presencia de un hombre que no sea su prometido.

Las palabras del montubio me dejaron mudo. El humo del cigarro me escocía la garganta y le pedí que me pasara de nuevo la botella. Esta vez el «puro» me resultó menos agresivo, y empecé a verle cierta lógica a todo el asunto.

—Supongamos que es así. ¿Por qué me dice todo esto?

—Porque usted me da pena, amigo. Mire, somos muchos los hombres dispuestos a casarnos con ese fenómeno, por la hacienda, se entiende. Pero como tenemos orgullo, ninguno de nosotros está dispuesto a renunciar a su apellido. ¿No lo entiende? A usted lo están cebando para que sea el semental que salve la casta de los Sarmiento y Figueroa. La viuda es una vieja loca que, como el padre y el cura, está empecinada en que la grandota se preñe y pueda parir uno o más machitos que prolonguen la estirpe del adelantado, o como le llamen a ese español de mierda. Ella es viuda, es cierto, pero antes de enviudar se pasó la vida maldiciendo al padre de Aparicia, un latacungueño que la abandonó, y con razón. Al nacer Aparicia, el viejo pendejo del coronel los hizo azotar a los dos por haber engendrado una hembra en lugar del macho esperado. ¿Entiende? Y si se está preguntando por qué la viuda no se dejó preñar por algún otro hombre, la respuesta es muy simple: porque el continuador de los Sarmiento y Figueroa no tiene que llevar sangre india en las venas. ¿Entiende o no?

—Yo tengo sangre de los indios de mi tierra —atiné a decir.

—Bien pendejos deben de ser los indios de por allá. Los de por acá sabemos en qué terreno posamos las patas. Lo van a casar, amigo. Y ay de usted si no preña pronto a la grandota, y ayayay si no la hace parir un machito.

—¿Y qué pasa si me niego al casorio?

—Amigo, a ninguno le gustaría estar en el pellejo de un extranjero que se permite ofender a los dueños de La Conquistada.

Al atardecer los camioneros me dejaron en Ibarra. Tras despedirme de ellos y de los cerdos, lo primero que hice fue llamar a un amigo abogado, en Quito, para conocer su opinión sobre el asunto.

—Te metiste en un problema grave. Esos paranoicos son imprevisibles cuando les hieren el orgullo.

—Es absurdo. Todo esto es absurdo.

—En el Ecuador todo es tan absurdo que ya nadie se asombra de nada. Los Sarmiento y Figueroa pertenecen a las cuarenta familias y hacen y deshacen. Esfúmate por un largo tiempo.

Seguí el consejo de mi amigo. Viajé a Bogotá y de ahí a Cartagena de Indias. Ignoro si la viuda tomó alguna medida contra mí y olvidé la historia hasta que, algunos años más tarde, el camino me llevó de regreso al Ecuador. En la feria de Otavalo me encontré con la cocinera de La Conquistada.

La buena mujer ya no trabajaba en la hacienda y se dedicaba a la venta ambulante de cuyes asados. Me ofreció su sillita de mimbre y, luego de obsequiarme con el más gordo de sus sabrosos roedores, me contó el fin de la historia.

—Cuando se dieron cuenta de su fuga, la viuda y los dos viejos le dieron una tremenda paliza a la señorita Aparicia. Le pegaban y gritaban que era una necia porque en esas semanas no se había metido en su cama. Al fin, la pobrecita, magullada y llena de moretones, tuvo fuerzas para matar a todos los pájaros que había en las jaulas. Dejó vivo uno sólo. Un pájaro negro de la selva que gritaba como una vaca. A mí me dio pena la señorita, pero me alegré por usted.

—¿Y qué pasó después?

—A los cuatro o cinco meses apareció otro joven para escribir las memorias del coronel. Un joven que hablaba raro. Decía algo así como «obrigado» cada vez que le servía algo.

—Un brasileño. No importa. Siga por favor.

—Lo casaron con la señorita. Al fin les resultó.

—¿Y...?

—Nada más. Ahora hay un niño en la hacienda. ¿Quiere saber cómo se llama? Pedrito de Sarmiento y Figueroa —dijo la cocinera, sonriendo de esa manera maravillosa, como sólo pueden hacerlo las mujeres de Otavalo.

Tercera parte
Apuntes de un viaje de regreso

1

—Bueno, aquí estamos —digo en voz baja, y una gaviota gira la cabeza para mirarme unos segundos. «Otro chiflado», pensará la gaviota, porque en realidad estoy solo, frente al mar, y en Chonchi, un puerto de la isla grande de Chiloé, muy al sur del mundo. Espero a que den la orden de abordar *El Colono*, un transbordador pintado de rojo y blanco que después de navegar varias décadas por los mares Báltico, Mediterráneo y Adriático, vino a flotar en las frías, profundas e imprevisibles aguas australes.

El Colono, luego de navegar las veinticuatro horas anunciadas, que en realidad pueden ser treinta o más —todo depende de los caprichos de la mar y de los vientos—, me dejará unas quinientas millas más al sur, en el centro de la Patagonia chilena.

Mientras espero, pienso en aquellos dos gringos viejos que movieron los frágiles hilos del destino y consiguieron que Bruce Chatwin y yo nos encontráramos cierto mediodía invernal en la terraza del Café Zurich de Barcelona.

Un inglés y un chileno. Y, por si no fuera suficiente, dos tipos con escaso cariño por los fonemas «patria». El inglés, nómada, porque no podía ser otra cosa, y el chileno, exiliado por idénticas razones. ¡Demonios! Alguien debería prohibir esta clase de encuentros, o por lo menos asegurarse de que no ocurran en presencia de menores.

La cita, organizada por el editor español de Bruce, era al mediodía y acudí con absoluta puntualidad. El inglés había llegado primero; estaba acomodado frente a una cerveza leyendo uno de los perversos tebeos de *El Víbora*. Para llamar su atención di unos golpecitos en la mesa.

El inglés alzó la cabeza y bebió un sorbo antes de hablar.

—Un sudamericano puntual es algo que consigo soportar, pero un tipo que luego de vivir varios años en Alemania acude a un primer encuentro sin traer flores es sencillamente intolerable.

—Si quieres regreso en quince minutos, y con flores —respondí.

Con un gesto me indicó una silla. Me senté, encendí un cigarrillo, y nos quedamos mirando el uno al otro sin decir palabra. Él sabía que yo sabía de los dos gringos, y yo sabía que él sabía de los dos gringos.

—¿Eres de la Patagonia? —preguntó rompiendo el silencio.

—No, de más al norte.

—Mejor. No se puede confiar ni en la cuarta

parte de lo que dicen los patagones. Son los mentirosos más grandes de la Tierra —comentó echando mano a su cerveza. Me sentí obligado a devolver el golpe.

—Es que aprendieron a mentir de los ingleses. ¿Conoces las mentiras que Fitzroy le inventó al pobre Jimmy Button?

—Uno a uno —dijo Bruce y me tendió la mano. La ceremonia de presentación terminaba satisfactoriamente y nos largamos a hablar de aquellos dos gringos viejos, que desde algún lugar ignorado en los mapas tal vez nos observaban, contentos de ser testigos de aquel encuentro.

Varios años han pasado desde aquel mediodía en Barcelona. Varios años y algunas horas, porque en este momento, mientras espero a que los estibadores terminen de cargar *El Colono* y me permitan subir a bordo, son las tres de la tarde de un día también de febrero. Oficialmente es verano en el sur del mundo, pero el viento gélido del Pacífico no le concede la menor importancia a este detalle; sopla en ráfagas que entumecen hasta los huesos y obligan a buscar el calor de los recuerdos.

Los dos gringos de los que hablamos en Barcelona dedicaron gran parte de su vida al negocio bancario, que, como se sabe, puede practicarse de dos maneras: siendo banquero o asaltando bancos. Ellos optaron por la segunda, porque, gringos a fin de cuentas, llevaban en las venas un puritanismo caritativo que los obligaba a compartir rápidamente la riqueza obtenida en los atracos. La compartían con actrices de Baltimore, cantantes de ópera de Nueva York, cocineros chinos de San Francisco, achocolatadas prostitutas de los burdeles de Kingston o La Habana, adivinas y brujas de La Paz, dudosas poetisas de Santa Cruz, melancólicas musas de Buenos Aires, viudas de marineros de Punta Arenas, y terminaron financiando revoluciones imposibles en la Patagonia y la Tierra del Fuego. Se llamaron Robert Leroy Parker y Harry Longabaugh, Mister Wilson y Mister Evans, Billy y Jack, don Pedro y don José. En las infinitas llanuras de las leyendas entraron como Butch Cassidy y Sundance Kid.

Recuerdo todo esto mientras espero sentado sobre un barril de vino, frente al mar, en el sur del mundo, y tomo notas en una libreta de hojas cuadriculadas que Bruce me obsequió justamente para este viaje. Y no se trata de una libreta cualquiera. Es una pieza de museo, una auténtica Moleskín, tan apreciada por escritores como Céline o Hemingway, y que ya no se encuentran en las papelerías. Bruce sugirió que antes de usarla hiciera como él: primero numerar las hojas, luego anotar en la contratapa por lo menos dos direcciones en el mundo y, finalmente, prometer una recompensa a quien devolviera la libreta en caso de pérdida. Cuando le comenté que todo eso me parecía demasiado inglés, Bruce respondió que, justamente gracias a esa clase de medidas de precaución, los ingleses conservan la ilusión de ser un imperio; en cada colonia grabaron a sangre y fuego la idea de la pertenencia a Inglaterra y, cuando las perdieron, a cambio de una pequeña recompensa económica, las recuperaron bajo el eufemismo de la Comunidad Británica de Naciones.

Las Moleskín provenían de las manos de un artesano encuadernador de Tours cuya familia venía fabricándolas desde comienzos de siglo, pero, una vez muerto el artesano, ninguno de sus descendientes quiso continuar con la tradición. Nadie debe lamentarse por ello. Son las reglas del juego impuestas por una pretendida modernidad que día a día va eliminando ritos, costumbres y detalles que muy pronto recordaremos con nostalgia.

Una voz anuncia que zarparemos «en pocos minutos», pero no dice cuántos.

La mayoría de los pequeños puertos y poblados de la isla de Chiloé fueron fundados por corsarios, o para defenderse de ellos, durante los siglos XVI y XVII. Corsarios o hidalgos, todos debían cruzar el estrecho de Magallanes y por lo tanto detenerse en lugares como Chonchi para avituallarse. De aquellos tiempos ha permanecido el carácter funcional de los edificios: todos cumplen una doble función, aunque una es la principal. Los locales sirven de bar y ferretería, bar y correo, bar y agencia de cabotaje, bar y farmacia, bar y funeraria. Entro a uno que es bar y botica veterinaria, pero un letrero colgado a la entrada asegura que cumple otra función más: TRATAMIENTO DE SARNAS Y DIARREAS ANIMA-LES Y HUMANAS.

Me acomodo frente a una mesa, cerca de la ventana. En las mesas vecinas juegan al «truco», un juego de naipes que permite toda suerte de guiños al compañero y que exige que las cartas jugadas vayan acompañadas de versos en rigurosa rima. Pido un vino.

—¿Vino o un vinito? —consulta el mozo.

Nací en este país, sólo que un poco más al norte. Apenas dos mil kilómetros separan Chonchi de mi ciudad natal, y tal vez debido a mi larga ausencia de estos confines he olvidado ciertas importantes precisiones. Sin pensarlo insisto en que quiero beber un vino.

Al poco tiempo el mozo regresa con un enorme vaso que contiene casi un litro. No conviene olvidar los diminutivos en el sur del mundo.

Buen vino. Un «pipeño», un vino joven, algo ácido, áspero, agreste como la propia naturaleza que me espera más allá de la puerta. Se deja beber con deleite y, mientras lo hago, viene hasta mi memoria cierta historia que Bruce recordaba con especial agrado.

En un viaje de regreso de la Patagonia, y con la mochila repleta de Moleskín en las que fijó la materia prima de lo que más tarde se titularía *En la Patagonia*, uno de los mejores libros de viajes de todos los tiempos, Bruce pasó un día por Cucao, en la parte oriental de la isla. Llevaba hambre de varias jornadas y por esa razón deseaba comer, pero sin cargar demasiado el estómago.

—Por favor, quiero comer algo ligero —le indicó al mozo del restaurante.

Le sirvieron media pierna de cordero asada y, cuando reclamó insistiendo en que quería comer algo ligero, recibió una de esas respuestas que no admiten réplica:

—Era un cordero muy flaco. El señor no encontrará un bicho más ligero en toda la isla.

Curiosa gente ésta. Y como Chiloé es la antesala de la Patagonia, aquí comienzan las ingenuas y bellas excentricidades que veremos o escucharemos más al sur. Un profesor argentino me contó una historia insuperable. Uno de sus alumnos escribió sobre un reloj: «El reloj sirve para pesar los atrasos. El reloj también se descompone y, así como los autos pierden aceite, el reloj pierde tiempo».

¿Alguien habló de la muerte del surrealismo?

El movimiento aumenta en el puerto. Los grandes camiones ya están a bordo y ahora suben los vehículos menores. En poco tiempo llamarán a los pasajeros, una vez que los estibadores terminen de transportar la carga. Son vigorosos los isleños. De baja estatura, de piernas cortas pero firmes, trotan cargando pesados sacos de papas y leguminosas, rollos de tela, útiles de cocina, cajas de sal, sacos de yerba mate, té y azúcar, mercancías que pertenecen a comerciantes en general hijos o nietos de libaneses, que una vez desembarcados recorrerán con sus recuas de caballos las haciendas y los caseríos perdidos entre las cordilleras, junto a los fiordos, o en la pampa infinita.

Apuro el vino. El movimiento de afuera se me mete en las venas y todo mi cuerpo desea partir.

Este es un viaje que empezó hace varios años, qué importa cuántos. Empezó aquel día frío de febrero en Barcelona, sentado con Bruce frente a una mesa del Café Zurich. Nos acompañaban los dos viejos gringos, pero sólo nosotros podíamos verlos. Eramos cuatro en la mesa, de manera que nadie debe escandalizarse por que vaciáramos dos botellas de coñac.

Tal vez nunca consigamos saber cómo esos dos bandidos organizaban sus atracos a los bancos, pero puedo contar cómo un inglés y un chileno, bastante borrachos a eso de las cinco de la tarde, planearon un viaje a los confines del mundo.

—¿Cuándo partimos, chileno?

—En cuanto me dejen, inglés.

—¿Todavía tienes problemas con los primates que gobiernan tu país?

—Yo no. Son ellos los que tienen problemas conmigo.

—Entiendo. No importa. Así podemos preparar mejor el viaje.

Y continuaron hablando de otros temas menores, como encontrar la hacienda donde supuestamente decapitaron a Butch Cassidy y a Sundance

Kid, visitar la sepultura donde dicen que reposan los dos aventureros, reconstruir los últimos días de sus vidas y, finalmente, llenar a cuatro manos unas cuantas páginas en forma de saga o de novela.

Cuando recibí el ansiado permiso para volver al sur del mundo, Bruce Chatwin ya había emprendido el viaje inevitable. Pienso que al comprar toda la existencia de Moleskín en una vieja papelería parisina de la Rue de l'Ancienne Comédie, la única que las vendía, Bruce se preparaba sin pensarlo para el largo viaje final. ¿Qué diablos anotará en ellas, dondequiera que esté?

El permiso para regresar a mi mundo me llegó por sorpresa en Hamburgo. Durante nueve años visité cada lunes el consulado chileno para saber si podía volver. Nueve años en los que recibí unas quinientas veces la misma respuesta: «No, su nombre está en la lista de los que no pueden volver».

Y, de pronto, un lunes de enero, el triste funcionario rompió su rutina y mi costumbre de escuchar sus rotundos noes: «Cuando quiera, puede volver cuando quiera. Su nombre fue borrado de la lista».

Salí del consulado temblando. Estuve largas horas sentado frente al Alster, hasta que recordé que los compromisos contraídos con los amigos son sagrados y decidí partir al encuentro del fin del mundo en los siguientes días.

Por fin llaman a los pasajeros. Allá vamos, Bruce, condenado inglés que viajará de polizonte, oculto entre las hojas de la Moleskín. Mañana por la noche estaremos en la Patagonia, tras las huellas de los dos gringos que dieron pie a esta aventura, y ni para ellos ni para los gauchos que conociste será una sorpresa el vernos llegar, porque los patagones, en la densa soledad de sus ranchos, aseguran que «la muerte comienza cuando alguien acepta que se ha muerto».

Han soltado las amarras de *El Colono*, pero todavía no terminan de alzar el puente de embarque. Dos tripulantes discuten con un viejo pálido como una sábana y que insiste en arrastrar un ataúd. Los tripulantes alegan que trae mala suerte. El viejo responde que tiene derecho a setenta kilos de carga. Los marineros amenazan con tirar el cajón por la borda. El viejo grita que tiene cáncer, que está en su derecho de aspirar a un entierro decente, porque él es un caballero. Finalmente interviene el capitán y llegan a un acuerdo: lo llevan con cajón y todo, pero él se compromete a no morir durante el viaje. Un apretón de manos cierra el trato. Luego, el viejo se sienta encima del ataúd. Todo es alimento para la Moleskín.

El barco se mueve, apunta la proa hacia la bahía de Corcovado. Dentro de poco será de noche y me alegra comprobar que tengo la cantimplora llena del vigoroso «pipeño» y tabaco suficiente. Estoy dispuesto a atesorar en la libreta todo lo que veo. Muy pronto navegaremos bajo la noche austral rumbo al fin del mundo.

Cuando a la luz de la Cruz del Sur brinde a la salud del condenado inglés que se largó primero, tal vez el viento me entregue el eco de dos caballos montados por dos viejos gringos galopando sobre la línea incierta del litoral, en una región tan vasta y colmada de aventuras que no puede ser truncada por la mezquina frontera que separa la vida de la muerte.

2

A la entrada del gran fiordo de Aysén, *El Colono* aminora la velocidad para realizar el viraje de cuarenta y cinco grados que le permitirá adentrarse en la Patagonia. La navegación se torna entonces muy lenta, casi monótona, como los gestos de los camioneros que viajan en el transbordador, hombres que matan el tiempo disputando partidas de dominó, tomando mate amargo o rasurándose ante los espejos retrovisores de sus vehículos. Otros, los que no juegan ni se acicalan, comprueban si la carga de los camiones sigue bien estibada, si los costales de ajo, papas, cebollas, verduras y todo aquello que no crece ni florece ni se fabrica en la inmensa región a la que se dirigen, continúa seguro en las espaldas de los camiones, que reposan como animales dormidos en el vientre de una ballena rojiblanca.

Es un amanecer sin vientos, apenas una leve brisa advierte que dejamos el Pacífico para adentrarnos en las mansas aguas del gran fiordo. La superficie se ve como una placa metálica, a la que el sol naciente arranca reflejos plateados.

En el puente de mando, el timonel y dos oficiales escudriñan atentos el quieto sendero de agua. A los hombres de mar les gusta el fiordo con oleaje. En el movimiento del agua reconocen los traicioneros bancos de arena y los filudos arrecifes que se esconden bajo la superficie. Nada peor que la mar en calma, suelen comentar los marinos australes. Navegamos con rumbo al suroeste, y si hay suerte podremos atracar en un lugar llamado Trapananda.

—¿Cómo se llega a Trapananda? —pregunto a un camionero.

—No tengo la menor idea. Tal vez lo sepa el capitán —responde sin dejar de afeitarse.

No. Este no es un patagón.

—¿Cómo se llega a Trapananda? —insisto ahora con uno de los que toman mate.

—Con paciencia, paisano. Con mucha paciencia —contesta, y me observa con expresión de complicidad.

Sí. Sin duda éste es un patagón.

Trapananda. En 1570, el gobernador de Chile, don García Hurtado de Mendoza, concluyó, muy a pesar suyo, que los rumores que hablaban de grandes yacimientos de oro y plata al sur de La Frontera, en el territorio dominado por el cerro Ñielol y desde el cual los mapuches, pehuenches y tehuelches habían empezado una guerra de resistencia que se prolongaría por más de cuatro siglos —fueron los primeros guerrilleros de América—, no eran más que eso: rumores sustentados en supercherías.

A don García Hurtado de Mendoza no le interesaban mayormente los metales nobles. El era un agricultor y, al igual que muchos otros conquistadores castellanos —Pedro de Valdivia entre ellos—, había comprobado con satisfacción que el potencial agrícola de las tierras situadas al norte del río Bío Bío era infinito. Allí crecía de todo. Bastaba con lanzar las semillas y la fértil tierra hacía el resto. Hasta el vino se daba bien. En 1562, en las tierras entregadas al encomendero Jerónimo de Urmeneta, a veinte leguas al sur de Santiago del Nuevo Extremo, se produjeron las primeras cincuenta barricas de vino chileno. Era un caldo espeso, fuerte, seco y oscuro como la noche. Un buen vino para consagrar, pero mejor para beber. Los descendientes del encomendero continuaron con su producción, y en nuestros días el Urmeneta del Valle del Maipo está considerado como uno de los mejores vinos del planeta.

Se daba de todo en esas tierras, pero desde España reclamaban oro y plata, de tal manera que una vez más don García decidió conceder credibilidad a los rumores acerca de la riqueza dorada o plateada.

Esta vez los rumores de la soldadesca hablaban de un misterioso reino de Tralalanda, Trapalanda o Trapananda, donde las ciudades estaban adoquinadas con lingotes de oro y las puertas de las casas se abrían gracias a grandes bisagras de plata de la más alta ley. Algunos llegaron a aseverar que Trapalanda, Tralalanda o Trapananda no era otra que la mítica Ciudad Perdida de los Césares, una suerte de El Dorado austral. Y los rumores aseguraban que tal prodigioso reino se extendía al sur de Reloncaví, a unos mil doscientos kilómetros de la joven capital chilena.

Don García Hurtado de Mendoza armó entonces una expedición al mando del adelantado Arias Pardo Maldonado y la despidió con la orden de conquistar para España el reino de Tralalanda, Trapalanda, Trapananda, o como diablos se llamase.

Ningún historiador ha podido comprobar si Arias Pardo Maldonado llegó a pisar las tierras al sur del Reloncaví, las tierras de la Patagonia continental, pero en el Archivo de Indias, en Sevilla, pueden leerse algunas de las actas escritas por el adelantado:

«Los habitantes de Trapananda son altos, monstruosos y peludos. Tienen los pies tan grandes y descomunales que su andar es lento y torpe, siendo por ello fácil presa de los arcabuceros.

»Los de Trapananda tienen las orejas tan grandes que para dormir no precisan de mantas ni otras prendas de cobijo, pues se tapan los cuerpos con ellas.

»Son los de Trapananda gentes de tal hedor y pestilencia que no se soportan entre ellos, y por eso no se acercan, ni aparean, ni tienen descendencia».

Qué importa si Arias Pardo Maldonado estuvo o no en Trapananda, si pisó o no la Patagonia. Con él nace la literatura fantástica escrita en el continente americano, nuestra desproporcionada imaginación, y eso legitima su condición de personaje histórico.

Tal vez estuviera en la Patagonia y, seducido por sus paisajes, inventara aquellas historias de seres monstruosos para alejar a otros posibles expedicionarios. Si ésa fue su intención, entonces podemos asegurar que lo consiguió, porque la Patagonia, en territorio chileno, se mantuvo virgen hasta comienzos de nuestro siglo, que es cuando empezó su colonización.

Hemos navegado unas cinco millas continente adentro cuando *El Colono* aminora una vez más la velocidad. Junto a otros pasajeros me asomo a la baranda de estribor para ver qué pasa. Con algo de suerte es todavía posible presenciar el desplazamiento de alguna ballena o de una formación de delfines australes. Pero esta vez no se trata de cetáceos, sino de una embarcación que, a medida que se acerca, va ganando nitidez.

Es una lancha chilota. Una pequeña embarcación de unos ocho metros de eslora por tres de manga, que se desplaza impulsada por la brisa que hincha su única vela. La miro acercarse y sé que aquella frágil embarcación es parte de lo que me llamaba desde el sur del mundo.

«El que se atreve, come», dicen los chilotes. Este que veo pasar, sentado en la popa de su lancha, con el timón de paleta firmemente sujeto a sus manos, como si fuera una prolongación de su cuerpo que baja por la amura de popa hasta perderse en el agua, es un chilote que se «atrevió» a educar los robles, los alerces, los álamos, los eucaliptos, las tecas, a los que durante largos años guió en su crecimiento colgándoles piedras de diferentes pesos hasta que los troncos alcanzaran la madurez y las curvaturas requeridas para obtener una arboladura firme y elástica. Lo veo navegar y agradecer con una mano que el capitán haya dado la orden de reducir la velocidad para no desestabilizar su embarcación con las olas que levanta *El Colono*. Ahora navega por el gran fiordo y sé que también lo hace por Corcovado, por el terrible golfo de Penas, por los canales de Messier, del Indio, por el estrecho de Magallanes, por el mar abierto, sin radar, sin radio, sin instrumentos de navegación, sin motor auxiliar, sin nada más, y sin nada menos, que sus conocimientos del mar y de los vientos.

Este vagabundo del mar es mi hermano, y me da la primera bienvenida a la Patagonia.

3

Ladislao Eznaola y sus hermanos menores, Iñaqui y Agustín, levantaron la casa principal de su estancia en la costa norte de un lago que en Chile se llama General Carrera y Buenos Aires en el territorio argentino. Unas mil cabezas de ganado vacuno y otras cinco mil de bovino pastan en las seis mil hectáreas de su propiedad. Viven de la ganadería y de comerciar otros productos llegados por mar desde el norte chileno y que transportan en las vigorosas «chatas», camionetas de gran capacidad de carga, hasta las dos balsas que tienen en el lago.

Los habitantes de Perito Moreno y otros poblados de la Patagonia argentina reciben con alivio las balsas de los Eznaola, sobre todo en los largos meses de invierno, cuando los caminos se tornan intransitables y dejan de recibir suministros de Puerto Deseado o Comodoro Rivadavia, ciudades de la costa atlántica.

Ladislao me saluda con un efusivo abrazo, y le pregunto por su padre, el legendario Viejo Eznaola.

—Sigue en lo suyo. No cambia el viejo. Nunca va a cambiar. Y ya cumplió ochenta y dos años —indica con un tono entre divertido y preocupado.

«Lo suyo» es la navegación. El Viejo Eznaola es otro vagabundo del mar, pero diferente de los chilotes. Navega por los canales buscando un barco fantasma, que puede ser el *Caleuche*, versión austral del Holandés Errante, o el *Cacafuego*, una nave de corsarios ingleses condenada a vagar eternamente por los canales, sin poder salir jamás al mar abierto, presa de una maldición porque sus tripulantes se amotinaron y asesinaron a dos capitanes. Esta maldición se prolonga durante más de cuatrocientos años, y el Viejo Eznaola considera que los infelices ya han padecido demasiado. Por eso recorre los canales en su cúter adornado con gallardetes de amnistía. Los busca para guiarlos, como un práctico, hasta la gran libertad del mar.

—Sírvase. Déjese hacer cariños —dice Marta, la mujer de Ladislao, entregándome un plato con dos empanadas.

Saludo a las señoras de la estancia. Marta es veterinaria; Isabel, la mujer de Iñaqui, es profesora y se encarga de educar a la nueva generación de Eznaolas y a los demás niños de la estancia. Flor, la mujer de Agustín, es ya una leyenda en la Patagonia. Trabajaba como enfermera en el hospital de Río Mayo, en Argentina. Agustín vivió siempre enamorado de ella, pero jamás se atrevió a confesarle sus sentimientos. La veía una vez al año y tras cada visita su amor crecía hasta casi reventarle el pecho. Un día supo que Flor se casaba con un empleado de banca. Agustín trepó a su «chata», cargó también la guitarra y pidió a sus hermanos y cuñadas que embellecieran la casa porque regresaría con la mujer de sus sueños.

Llegó a Río Mayo el domingo de la boda y, con la guitarra en las manos, se instaló en la iglesia a esperar a la mujer a quien amaba. Flor apareció vestida de novia, acompañada de sus padres. El novio no tardaría en presentarse. Agustín le pidió que lo escuchara sin decir nada hasta la llegada del novio. Entonces pulsó la guitarra y empezó a desgranar unas décimas en las que su amor se mostraba con toda la belleza de la poesía, y con todo el dolor de quien la amaba y amaría hasta después de la muerte. Cuando el novio apareció, quiso interrumpir al cantor, pero Flor y los lugareños de Río Mayo se lo impidieron. Dos horas cantó Agustín y, al final, cuando se aprestaba a romper la guitarra para que nadie pudiera mancillar sus versos de amor, Flor lo tomó de la mano, lo guió hasta la «chata» y juntos emprendieron el camino hacia la estancia. Flor llegó vestida de novia y, desde entonces, Agustín, que es uno de los mejores «payadores» de la región, la llama «mi musa blanca».

—¿Y don Baldo Araya? —pregunto inquieto por no ver a uno de mis mejores amigos patagones.

—No tarda. Viene con los de la radio. Los demás están todos. Acércate a conocerlos —me invita Ladislao.

—Santos Gamboa, de Río Mayo.

—Para lo que mande, amigo —dice el aludido llevándose dos dedos hasta el ala del sombrero gaucho.

—¿Sigue la música en Río Mayo? —le pregunto.

El gaucho se rasca la nuca antes de responder afirmativamente.

Río Mayo es una pequeña ciudad de la Patagonia argentina, barrida eternamente por un fuerte viento que llega del Atlántico y que a su paso por la pampa arrastra arbustos de calafate, champas de coirón y toneladas de polvo. Normalmente, la polvareda oculta las veredas opuestas de las calles de Río Mayo.

En 1977, durante la dictadura militar argentina, a un coronel del regimiento Fusileros del Chubut se le ocurrió una idea genial —genialidad militar, se entiende— para evitar posibles reuniones de conspiradores en las calles. En cada esquina, colgó de los postes del alumbrado público unos parlantes que bombardeaban la ciudad con música militar —perdón por llamarla música— desde las siete de la mañana hasta las siete de la tarde. Cuando Argentina entró en el grupo de naciones con democracia bajo fianza, las nuevas autoridades no quisieron retirar los parlantes para evitar problemas con los militares, y los habitantes de Río Mayo continuaron padeciendo doce horas diarias de bombardeo decibélico. Desde 1977 los pájaros de la Patagonia evitan volar sobre la ciudad y la mayoría de los lugareños tiene problemas auditivos.

—Lorenzo Urriola, de Perito Moreno. Carlos Hainz, de Coyhaique. Marcos Santelices, de Chile Chico. Isidoro Cruz, de Las Heras —va presentando Ladislao.

—Se hace tarde. Creo que debemos empezar. Baldo y los de la radio se perderán la primera parte —dice Iñaqui pasándome un melón abierto en un extremo, al que le han raspado la pulpa y rellenado con un refrescante vino blanco.

Unos peones traen el primer cordero y entonces empieza la «capa», la castración de los animales que no servirán para reproducir y cuya única meta será la de engordar para producir kilos y más kilos de carne.

Del primer cordero se encarga Marcos Santelices. Dos ayudantes lo tumban sobre un tablón y le abren las patas traseras para que Santelices, después de comprobar el filo de su facón de empuñadura de plata, afeite la sutil vellosidad que cubre los testículos del asustado cordero. Cuando la piel se ve rosada y limpia, Santelices clava el facón en la mesa e inclina la cabeza entre los muslos del animal. Con una mano envuelve con delicadeza los testículos mientras que con la otra busca las venas en el saco de piel que los envuelve. Al encontrarlas aprieta con fuerza para cortar el flujo sanguíneo y desgarra con los dientes el saco escrotal.

Ninguno de los presentes advierte cuándo los testículos del cordero pasan a la boca de Santelices, pero luego lo vemos retirarse unos pasos y escupirlos en una palangana, mientras los ayudantes atan el vacío e inútil envoltorio para evitar una hemorragia. Todos aprobamos la faena del gaucho de Chile Chico. El cordero «capado a diente» no debe perder ni una gota de sangre.

Unos doce animales han pasado ya por los dientes de los capadores, y estamos devorando las deliciosas criadillas asadas cuando vemos llegar el *jeep* adornado con el logotipo de RADIO VENTISQUERO, LA VOZ DE LA PATAGONIA.

Al primero que veo bajar es a Baldo Araya, el porfiado profesor del liceo de Coyhaique e historiador de la Patagonia, que durante los grises años de la dictadura militar chilena se negó a cantar las estrofas que los gorilas agregaron al himno nacional. Así, cada lunes, los alumnos y profesores entonaban el odioso «vuestros nombres, valientes soldados que habéis sido de Chile el sostén...», todos cantaban, todos menos Baldo Araya, que permanecía mudo. Lo golpearon, lo encarcelaron durante varios meses acusándolo de desacato a la autoridad, pero no consiguieron doblegar su voluntad. Finalmente decidieron expulsarlo del liceo, pero entonces, una mañana, frente a la puerta del regimiento Baquedano, apareció degollado uno de los perros vigías, con una nota en el hocico: «Cretinos, ¿no se dan cuenta de que los tenemos rodeados? Ustedes dentro del cuartel, nosotros fuera. Dejen en paz al profesor Araya».

No lo expulsaron, pero dejaron de pagarle el sueldo. A Baldo no le importó y siguió impartiendo sus clases de historia universal. Durante catorce años vivió de la recia solidaridad de los patagones. Nunca le faltó la barrica de vino, ni las gallinas ponedoras de huevos marrones, ni la carne para los asados dominicales.

—Viví disfrutando de la beca del pueblo —concluyó Baldo luego de contarme su historia, hace un par de años.

Otro de los que vienen en el *jeep* es Jorge Díaz, locutor, director, jefe de programas, redactor, pinchadiscos y técnico de Radio Ventisquero. En 1972, a Jorge Díaz, de profesión locutor deportivo, chófer de camión, patrón de barco pesquero, minero y cantante de tangos, se le ocurrió la idea de abrir una radioemisora diferente a las que llegaban con sus ondas hasta el sur del mundo. Debía ser una emisora al servicio de aquellas gentes que, sobre todo en los largos inviernos sin caminos, sin teléfono y sin servicio postal, quedaban aisladas. Con sus ahorros y los de un par de amigos compró equipos de segunda mano, los instaló, obtuvo una licencia de frecuencia y empezó a transmitir por las bandas de onda larga.

Aquí, Patagonia, un programa de dos horas de duración, pasó rápidamente a ser el más popular. En él se emitían avisos de utilidad: «Se avisa a la familia Morán, de lago Cochrane, que don Evaristo va en camino. Espérenlo con caballos frescos porque el hombre va muy cargado y con amigos», o «La familia Braun, de lago Elizalde, invita a todos los habitantes de la región y a los que escuchan este programa a una fiesta con motivo del casamiento de su hijo mayor, Octavio Braun, con la señorita Faumelinda Brautigam. Habrá campeonatos de truco y taba, doma de potros, asado de cordero, chancho y vacuno. También habrá tardes de poesía a cargo de Santos de la Roca, el payador de Río Gallegos. Se ruega llevar tiendas para pernoctar. La fiesta durará una semana»...

En 1976 la dictadura empezó a enviar relegados políticos a la Patagonia. La correspondencia que los desterrados recibían o enviaban a sus familiares del norte pasaba previamente por la censura militar, que generalmente consistía en destruir las cartas. Entonces Radio Ventisquero, La voz de la Patagonia, empezó a transmitir mensajes por onda corta, y los relegados no sólo pudieron comunicarse con sus familiares, sino que emitieron un programa de análisis político. En pocos meses Radio Ventisquero se escuchó hasta en Arica, en la frontera con Perú, a casi cuatro mil kilómetros de distancia.

La respuesta de los militares no se hizo esperar. Una noche, «manos anónimas» dinamitaron la torre de la antena durante las horas del toque de queda. La respuesta de los patagones tampoco anduvo a la zaga: Jorge Díaz recibió los más largos y flexibles troncos de eucaliptos para que levantara la antena todas las veces que fuera necesario. Y siguió emitiendo. Y sigue. Y seguirá.

Ladislao Eznaola pide silencio a los presentes golpeando la parrilla con su facón.

—Paisanos, como ya es tradición en nuestra estancia, vamos a dar por inaugurado el décimo octavo campeonato de mentiras de la Patagonia. Todas las mentiras que aquí se digan serán más tarde transmitidas por Radio Ventisquero. Jorge Díaz las grabará, así que no se asusten por el micrófono. Como en las contiendas anteriores, hay una vaquilla Holsten de premio para el vencedor.

¿Existirá en el mundo otro torneo como éste, un torneo de mentiras?

Isidoro Cruz, de Las Heras, provincia del Chubut, se echa un largo trago de vino antes de empezar.

—Lo que voy a contar pasó hace algún tiempo, en el año del invierno más perro, ustedes deben recordarlo. Yo estaba pobre y flaco, tan flaco que ni sombra daba, tan flaco, que no podía usar el poncho, porque apenas metía la cabeza en el agujero pasaba de largo hasta mis pies. Una mañana me dije: «Isidoro, esto no puede seguir así, de tal manera que te vas para Chile». Mi caballo estaba tan flaco como yo, así que antes de montarlo le pregunté: «Che, matungo, ¿pensás que podés cargarme?». El me respondió: «Sí, pero sin la silla.

Acomodate por ahí, entre mis costillas». Seguí el consejo del caballo y juntos nos lanzamos al cruce de la cordillera. Me acercaba a la frontera chilena cuando desde algún lugar cercano escuché una voz débil, muy débil, que decía: «No puedo más, aquí me quedo». Asustado miré en todas direcciones buscando al dueño de la voz, pero no vi a nadie. Entonces le hablé a la soledad: «No te veo. Mostrate». La débil voz se dejó oír nuevamente: «Bajo tu sobaco izquierdo. Estoy bajo tu sobaco izquierdo». Metí una mano entre el pellejo y palpé algo entre las arrugas del sobaco. Al sacarla apareció un piojo aferrado a mi dedo, un piojo tan flaco como mi caballo y yo mismo. Pobre piojo, pensé, y le pregunté desde cuándo vivía en mi cuerpo. «Muchos años, muchos. Pero llegó el momento de separarnos. Aunque no peso ni un gramo, soy una carga inútil para vos y para el caballo. Dejame en el suelo, compañero.» Sentí que el piojo tenía razón y lo dejé bajo una piedra, escondido para que no se lo comiera algún pájaro de los cerros. «Si me va bien en Chile, al regreso te busco y te dejo picarme todo lo que querás», le dije al despedirme.

»En Chile nos fue bien. Subí de peso, también el caballo engordó, y cuando al cabo de un año emprendimos el regreso con plata en el bolsillo, silla y espuelas nuevas, busqué al piojo donde lo dejara. Lo encontré. Estaba más flaco todavía, se veía transparente y ya casi no se movía. "Aquí estoy, che piojo. Vení y picá, picá todo lo que querés", le dije metiéndolo bajo mi sobaco izquierdo. El piojo picó, despacito primero, luego con fuerza, con ganas de chupar sangre. De pronto el piojo comenzó a reír, y yo también reí, y mi risa contagió al caballo. Cruzamos la cordillera riendo, borrachos de felicidad, y desde entonces ese paso de montaña se llama Paso de la Alegría. Todo esto ocurrió, como les dije, hace algún tiempo, en el año del invierno más perro...

Isidoro Cruz termina su mentira con semblante serio. Los gauchos ponderan sus argumentos, los evalúan, deciden que es una mentira linda, aplauden, beben, prometen no olvidarla, y le toca turno a Carlos Hein, rubio gaucho de Coyhaique.

Al caer la noche los gauchos siguen con sus mentiras junto al fogón. Unos peones asan dos corderos. Las señoras de la estancia anuncian que se puede pasar a la mesa. Con Baldo Araya decidimos dar un breve paseo hasta las zarzamoras.

Allí, orinando copiosamente, alzo la cabeza para mirar el cielo cuajado de estrellas, de miles de estrellas.

—Bonita mentira la del piojo —comenta Baldo.

—¿Y este cielo? ¿Y todas estas estrellas, Baldo? ¿Son una mentira más de la Patagonia?

—Y qué importa. En esta tierra mentimos para ser felices. Pero ninguno de nosotros confunde la mentira con el engaño.

Los Antiguos es una pequeña ciudad fronteriza situada en la orilla sur del lago Buenos Aires, en la parte argentina de la Patagonia. Las suaves laderas de monte que bordean el lago presentan dolorosos testimonios de una grandeza que hoy no es más que un recuerdo. Son los restos de miles de gigantes caídos, los vestigios de trescientas mil hectáreas de bosques calcinados, arrasados por el fuego para dejar lugar a las praderas que necesitaban los ganaderos. Hay restos de troncos cuyos diámetros superan la estatura de un hombre.

Pablo Casorla es un ingeniero forestal que vive y trabaja en Los Antiguos con la intención de realizar un catastro de la riqueza forestal que aún existe. Sueña con una reserva de bosque protegida por la UNESCO, algo así como un verde patrimonio de la humanidad que permita a las futuras generaciones soñar cómo era aquella región antes de la llegada del dudoso progreso. Lo veo apearse del caballo para examinar un tronco.

—Este árbol tenía entre ochocientos y mil años. Debe de haber alcanzado los setenta metros de altura —dice con una voz que no quiere ocultar su pesadumbre.

—¿Sabes cuándo lo quemaron?

—Hará unos treinta años, más o menos.

Treinta años. Es un muerto reciente. Treinta años son apenas un respiro en la edad de aquellos gigantes vencidos que a nuestro alrededor muestran aún las cicatrices que les dejó el fuego.

—¿Nos falta mucho para llegar? —le consulto.

—Llegamos. Esa es la cabaña —responde indicando una casa en las cercanías.

A medida que nos aproximamos, descubro la firmeza de los troncos con que fue construida. No tiene puerta y los marcos de las ventanas parecen cuencas vacías. Sin bajar de los caballos entramos en una gran dependencia con una chimenea de piedra adosada a un costado. Allí rumian unas vacas que nos miran con ojos lánguidos, como si estuvieran acostumbradas a castigar con su indiferencia el atrevimiento de los forasteros que invaden su club social. Por deferencia hacia las vacas desmontamos.

—La construyeron en 1913. Eran buenos carpinteros esos tipos. Fíjate qué bien trabajadas están las vigas —señala Pablo Casorla.

En efecto, en las ennegrecidas vigas que sostienen la techumbre se aprecia el fino trabajo de unas manos hechas al uso de la gubia y la garlopa, al arte del ensamblaje preciso.

Los constructores de la cabaña fueron conoci-

114

dos como don Pedro y don José, pero hoy se sabe que en realidad se apodaban Butch Cassidy y Sundance Kid. Construyeron varias cabañas en el sur del mundo, y la más conocida está en las afueras de Cholila, en una zona de bosques milenarios que ahora se llama Parque Nacional Los Alerces. La actual dueña es una chilena, doña Hermelinda Sepúlveda, que una vez alojó a Bruce Chatwin durante sus correrías por la región y trató de casarlo con una de sus hijas, pero la chica se decidió por los requerimientos amorosos de un camionero.

—Aquí vivieron poco más de dos años, luego se mudaron más al sur, cerca de Fuerte Bulnes, en el estrecho de Magallanes. Desde allí organizaron el último de sus grandes atracos, el del Banco de Londres y Tarapacá, en Punta Arenas. Cómo me gustaría que estuvieran vivos —suspira Pablo Casorla.

—¿Vivos? Tendrían más de cien años.

—¿Y qué? El que nace cigarra nunca deja de cantar. Si esos dos estuvieran vivos yo los acompañaría en un par de atracos y con el botín compraríamos media Patagonia. Qué pena que hayan muerto —vuelve a suspirar Pablo y, junto a las vacas de mirada displicente, nos echamos unos tragos de vino a la salud de esos dos bandidos que terminaron asesinados por un policía chileno, luego de asaltar bancos por el sur del mundo y financiar con ese dinero hermosas e imposibles revoluciones anarquistas.

5

A mediados de marzo los días se tornan más breves y por el estrecho de Magallanes entran fuertes vientos del Atlántico. Es la señal para que los habitantes de Porvenir revisen las provisiones de leña y observen melancólicos el vuelo de las avutardas que cruzan de la Tierra del Fuego a la Patagonia.

Pensaba continuar viaje a Ushuaia, pero me informan que las últimas lluvias han cortado el camino en varios tramos y que no lo repararán hasta la primavera. No importa. En esta región es absurdo tener planes fijos, y además se está muy bien en El Austral, un bar de gente de mar donde preparan el mejor estofado de cordero. Cordero de Magallanes perfumado por los clavos de olor escondidos en los corazones de las cebollas que lo guarnecen.

Una docena de parroquianos esperamos ansiosos a que la dueña anuncie la hora de pasar a la mesa. Bebiendo vino nos dejamos atormentar por los aromas que llegan de la cocina. Tiene mucho de liturgia esa espera que nos llena la boca de saliva.

En un extremo de la barra charlan tres hombres. Hablan un inglés muy británico mientras se echan copas de ginebra al coleto. No es una bebida especialmente apreciada en la Tierra del Fuego y suele reemplazar a la loción para después de afeitarse. Uno de ellos consulta en español si falta mucho para la hora de comer.

—No se sabe. Cada cordero es diferente. Igual que las personas —responde la dueña, doña Sonia Maríncovich, un metro ochenta de estatura y unos noventa kilos de humanidad eslava bien repartida bajo su vestido negro.

—No tenemos tiempo —insiste el inglés.

—Aquí lo único que sobra es el tiempo —indica uno de los parroquianos.

—Es que debemos zarpar con luz de día. ¿Entiende?

—Entiendo. ¿Y con qué rumbo? Se lo pregunto porque esta tarde va a soplar un viento vuelcaburros.

—Vamos a la ensenada de Raúl.

—Querrá decir a la ensenada del Incesto —corrige el parroquiano.

El hombre da una palmada sobre la barra, tira unos billetes por la consumición y sale con sus acompañantes soltando imprecaciones en inglés.

Me acerco al parroquiano que ha hablado con el iracundo británico.

—Parece que se ofendió. ¿Qué es eso de la ensenada del Incesto?

117

—Historia, pero los ingleses no tienen sentido del humor. Que se jodan. Se perdieron el estofado. ¿No conoce la historia?

Le respondo que no, y el parroquiano echa una mirada a doña Sonia. Desde los peroles, la mujer le responde con un gesto de aprobación.

—Las cosas ocurrieron más o menos así: allá por 1935 naufragó un vapor británico en el canal de Beagle, y al parecer los únicos sobrevivientes fueron un misionero protestante y su hermana. Los dos náufragos pudieron caminar hacia el este y en una semana hubieran llegado a Ushuaia, pero como no tenían sentido de la orientación, caminaron hacia el norte. Recorrieron unos ochenta kilómetros cruzando selvas, atravesando ríos, subiendo y bajando cerros y, finalmente, a los cuatro meses aparecieron en la que antes se llamaba ensenada de Raúl, en la costa sur de Almirantazgo. Allí los encontraron unos tehuelches, que los acompañaron hasta Porvenir. Esa es la historia.

—¿Y por qué se llama ahora ensenada del Incesto?

—Es que la mujer llegó encinta. Preñada de su hermano.

—A la mesa, que voy a servir —anuncia doña Sonia, y nos entregamos en cuerpo y alma a disfrutar del excelente estofado de cordero que los ingleses se perdieron por culpa de su mal humor.

6

Al norte de Manantiales, poblado petrolero de la Tierra del Fuego, se levantan las doce o quince casas de una caleta de pescadores llamada Angostura porque está justamente frente a la primera angostura del estrecho de Magallanes. Las casas están habitadas nada más que durante el corto verano austral. Luego, durante el fugaz otoño y el largo invierno, no son más que una referencia en el paisaje.

Angostura no tiene cementerio, pero tiene una pequeña sepultura pintada de blanco y orientada hacia el mar. En ella reposa Panchito Barría, un chico fallecido a los once años. En todas partes se vive y se muere —como dice el tango «morir es una costumbre»—, pero el caso de Panchito es trágicamente especial, porque el niño murió de tristeza.

Antes de cumplir los tres años Panchito padeció de una poliomelitis que lo dejó inválido. Sus padres, pescadores de San Gregorio, en la Patagonia, cruzaban cada verano el estrecho para instalarse en Angostura. El niño viajaba con ellos, como un amoroso bulto que permanecía acomodado sobre unas mantas, mirando el mar.

Hasta los cinco años Panchito Barría fue un niño triste, huraño, y casi no sabía hablar. Pero un buen día tuvo lugar uno de esos milagros acostumbrados en el sur del mundo: una formación de veinte o más delfines australes apareció frente a Angostura, desplazándose del Atlántico al Pacífico.

Los lugareños que me contaron la historia de Panchito afirmaron que, apenas los vio, el chico dejó escapar un grito desgarrador y que, a medida que los delfines se alejaban, sus gritos ganaban en volumen y desconsuelo. Finalmente, cuando los delfines desaparecieron, de la garganta del niño escapó un chillido agudo, una nota altísima que alarmó a los pescadores y espantó a los cormoranes, pero que hizo regresar a uno de los delfines.

El delfín se acercó a la costa y empezó a dar saltos en el agua. Panchito lo animaba con las notas agudas que salían de su garganta. Todos entendieron que entre el niño y el cetáceo se había establecido un puente de comunicación que no requería de ninguna explicación. Se había dado porque así es la vida. Y punto.

El delfín permaneció frente a Angostura todo aquel verano. Y cuando la proximidad del invierno ordenó abandonar el lugar, los padres de Panchito y los demás pescadores comprobaron con asombro que el niño no manifestó el menor asomo de pena. Con una seriedad inaudita para sus cinco

120

años, declaró que su amigo el delfín tenía que marcharse, pues de otro modo lo atraparían los hielos, pero que al año siguiente regresaría.

Y el delfín regresó.

Panchito cambió, se tornó un chico locuaz, alegre, llegó a hacer bromas sobre su condición de inválido. Cambió radicalmente. Sus juegos con el delfín se repitieron durante seis veranos. Panchito aprendió a leer y a escribir, a dibujar a su amigo el delfín. Colaboraba, como los demás chicos, en la reparación de las redes, preparaba lastres, secaba mariscos, siempre con su amigo el delfín saltando en el agua, realizando proezas sólo para él.

Una mañana del verano de 1990 el delfín no acudió a la cita diaria. Alarmados, los pescadores lo buscaron, rastrearon el estrecho de extremo a extremo. No lo encontraron, pero sí se toparon con un barco factoría ruso, uno de los asesinos del mar, navegando muy cerca de la segunda angostura del estrecho.

A los dos meses Panchito Barría murió de tristeza. Se extinguió sin llorar, sin musitar una queja.

Yo visité su tumba, y desde allí miré el mar, el mar gris y agitado del invierno incipiente. El mar donde hasta hace poco retozaban los delfines.

7

El tipo que tengo frente a mí, que me ofrece la calabaza del mate y que enseguida remueve las brasas del fogón, se llama Carlos y es, al mismo tiempo, el mejor y el más antiguo de mis amigos. También tiene un apellido, pero me exige que, si escribo algo de lo que me contará en este día de lluvia, no mencione su nombre completo.

—Carlos no más —insiste, mientras corta unas lonjas de charqui de caballo, una carne oreada al viento y que va de maravilla con el mate.

—Conforme. Carlos no más —respondo, y escucho cómo la lluvia arrecia sobre el techo del hangar que nos protege.

Desde muy pequeño, Carlos No Más manifestó un solo interés en la vida: volar. Leía cómics de aviadores, sus héroes eran Malraux, Saint Exupéry, Von Ritchoffen, el Barón Rojo. Iba al cine a ver únicamente películas de aviadores, coleccionaba modelos de aeroplanos y a los quince años conocía todas las piezas de un avión.

A los diecisiete, cierta tarde de playa, en Valparaíso, abrió su intimidad a la familia.

—Voy a ser piloto. Me matriculé en la Escuela de Aviación.

—Vas a ser militar, cretino. La Escuela de Aviación es de la Fuerza Aérea, imbécil —le respondieron con el tono más fraterno.

—No. Tengo un plan para evitarlo.

—¿De veras? ¿Podemos saber en qué lío te piensas meter?

—Es muy simple: en cuanto aprenda a pilotar un avión, deserto.

Aprendió a pilotar pequeños aparatos y helicópteros, pero no tuvo que desertar. Cuando, en 1973, la dictadura trepó al poder, Carlos No Más fue expulsado de la Fuerza Aérea por sus ideas socialistas.

Cuando los chilenos quieren expresar un gran bienestar dicen: «Estoy más feliz que un perro con pulgas». Carlos No Más dijo: «Estoy más feliz que un cóndor con pulgas».

¿Y adónde se va a tentar fortuna un piloto sin empleo? Pues al sur del mundo. Carlos No Más emprendió el camino rumbo a la Patagonia. Sabía de la existencia de varios pilotos que hacían servicios de correo en aquella región olvidada por la burocracia central. Llegó a Aysén y, a las pocas semanas, conoció a un legendario aviador de aquellas latitudes: el capitán Esquella, quien con su DC-3 aprovisionaba las estancias ganaderas de la Patagonia y la Tierra del Fuego.

Su primer empleo fue de mecánico de mantenimiento de *El loro con hipo*, el aparato que Esquella, y nadie más que Esquella, pilotaba, hasta que ocurrió algo que puso el avión en manos de Carlos No Más.

—Esquella. ¡Ese sí que fue un piloto! —exclama Carlos No Más ofreciéndome un nuevo mate.

En mayo de 1975, Esquella tuvo que hacer un aterrizaje forzoso en una pequeña playa de la península de Tres Montes, frente al golfo de Penas. El DC-3, *El loro con hipo,* iba cargado con ovejas productoras de la más fina lana, y el vuelo empezado en Puerto Montt transcurrió con normalidad hasta que uno de los motores falló y el avión empezó a perder altura. El tripulante aconsejó botar la carga, es decir, arrojar las ovejas al mar para aligerar el aparato, mantener altura e intentar llegar hasta alguna pista de aterrizaje en el continente. Esquella se negó. Indicó que la carga no se tocaba, y buscó una playa.

El contacto con la tierra no fue de los más elegantes. Perdió parte del tren de aterrizaje izquierdo, y el avión se detuvo finalmente con el morro metido en el mar. Pero ninguna oveja sufrió daños y por fortuna tampoco la radio. Luego de recibir la señal de SOS, Carlos No Más salió en un barco para rescatar las ovejas y ver qué se podía hacer con el avión.

Una vez embarcadas las ovejas, revisaron el aparato. El desperfecto del motor era de fácil arreglo y, fuera del tren de aterrizaje dañado, no en-

124

contraron otros estropicios en *El loro con hipo*. Era posible reparar el avión, pero el gran problema era cómo diablos sacarlo de allí.

—Listo. Se acabó *El loro con hipo* —comentó alguien que iba en el barco.

—Cállate, huevón. ¿Lo sacamos, Carlitos? —consultó Esquella.

—Claro que lo sacamos —respondió Carlos No Más.

El tipo que había diagnosticado el fin de *El loro con hipo* era un comerciante de pieles famoso por su pasión por las apuestas, y no resistió la ocasión.

—Esquella, te apuesto cinco mil pesos a que no lo sacas —desafió el tipo.

—Diez mil a que sí lo saco —replicó el aviador.

—Veinte mil a que no lo sacas —insistió el comerciante.

—¡Cincuenta mil a que sí lo saco, y volando! —bramó Esquella.

—De acuerdo. Cincuenta lucas. Vengan esos cinco dedos.

Sellaron la apuesta con un apretón de manos. Cincuenta mil pesos nuevos. Para Carlos No Más era una fortuna. Esquella lo invitó a subir al aparato.

—Carlitos, hay cincuenta lucas en juego. Lo sacamos y vamos a medias. ¿Se te ocurre algo?

—Sí, pero antes quiero saber cómo se presenta el tiempo.

Por radio pidieron el informe meteorológico:

en las próximas setenta y dos horas soplarían vientos moderados.

—Dígale al patrón del barco que apenas deje las ovejas en Puerto Chacabuco alquile dos parejas de bueyes y compre o robe uno de los catamaranes del puerto deportivo. Tiene que regresar con todo eso antes de cuarenta y ocho horas.

El barco zarpó. Esquella, el tripulante y Carlos No Más empezaron a trabajar.

Primero talaron varios árboles de troncos flexibles y los usaron para apuntalar el avión. Después cortaron otros troncos con los que construyeron una especie de sendero sobre el que descansó el vientre del aparato. Finalmente quitaron las ruedas del tren de aterrizaje intacto y procedieron a aligerar el aparato quitándole todo peso superfluo. Cuando terminaron, tras dieciocho horas de trabajo, en el interior de *El loro con hipo* quedaban sólo los instrumentos y la butaca del piloto.

El barco regresó a tiempo y con todo lo que habían pedido. También el comerciante apostador, que no cesaba de repetirles que parte de esos cincuenta mil pesos, que daba por ganados, los invertiría en invitarlos un fin de semana entero al mejor burdel de Coyhaique. Los tres hombres empecinados en hacer volar al *El loro con hipo* lo dejaban fanfarronear.

Los bueyes jalaron el avión hasta que sacó el morro del agua. Trabajaron duro los bueyes. Un DC-3 pesa bastante más que una carreta, pero eran animales robustos y lo dejaron muy horizontal sobre el sendero de troncos. Enseguida, los hombres desmontaron los cascos del catamarán y los montaron en lugar de las ruedas del tren de aterrizaje. Finalmente ataron una balsa salvavidas al tren fijo de cola y convirtieron a *El loro con hipo* en un hidroavión.

Mientras los hombres del barco se encargaban de hacer otros dos senderos de troncos, uno para cada casco del catamarán, Esquella y Carlos No Más treparon al aparato y echaron a andar los motores. Las hélices del DC-3 giraron de maravilla.

—Ahora falta lo más fácil: despegar —dijo Esquella.

—Dispone de unos trescientos metros de agua calma. Luego empieza la línea de arrecifes —comentó Carlos No Más.

—El problema será bajar. Nunca he pilotado un hidroavión —confesó Esquella.

—Las aguas del fiordo estarán quietas. Por lo menos las próximas veinticuatro horas. Ahora, si me tiene confianza, déjeme volar el cacharro. En la escuela de aviación piloté Grumanns, Catalinas, bichos que no son tan pesados como un DC-3, pero creo que puedo hacerlo.

—¡Todo tuyo, Carlitos! Para aligerarlo aún más botaremos parte del combustible. Volarás con lo apenas necesario. Desde el barco te indicaré cuándo levantar el vuelo.

—Entonces deje libre la butaca. Yo estoy al mando ahora.

—Las cincuenta lucas te pertenecen, Carlitos.

Los nobles bueyes jalaron de *El loro con hipo* hasta dejarlo en el agua. Los cascos de los catamaranes soportaron el peso y la balsa de cola mantuvo la parte trasera fuera del agua. Carlos No Más esperó a que el barco se acercara a la línea de arrecifes antes de aumentar la potencia de los motores y poner el avión en movimiento. Ver oscilar las agujas de los tacómetros fue una delicia. Cuando vio que Esquella levantaba los dos pulgares, tiró del bastón de mandos y *El loro con hipo* se elevó ganando rápidamente la altura deseada.

Fue un buen vuelo, tranquilo pero movido porque el avión iba tan ligero que las brisas lo sacudían como a una hoja de papel. Voló sin contratiempos las noventa millas rumbo norte por sobre la península de Taitao, el ventisquero de San Rafael, hasta la entrada del gran fiordo de Aysén. Allí torció al este y, guiándose por el destello del agua, se internó continente adentro. Le faltaban ocho millas para alcanzar la bahía de Puerto Chacabuco cuando las agujas del combustible marcaron cero, pero estaba a salvo y, protegido por las brisas del Pacífico, planeó sin contratiempos. Acuatizó como un cisne, entre el jolgorio de los lugareños congregados en el muelle.

El comerciante de pieles pagó la apuesta. Carlos No Más recibió los cincuenta mil pesos y decidió independizarse. Al poco tiempo conoció a Pet Manheimm, otro aviador en busca de cielos libres, y juntos inauguraron el primer mercado de frutas y verduras, Flor de Negocio.

Empezaron con una avioneta Pipper y un helicóptero Sirkosky, desecho de la guerra de Corea. En Puerto Montt cargaban la avioneta con cebollas, lechugas, tomates, manzanas, naranjas y otros vegetales, los llevaban hasta Puerto Aysén, donde tenían la base, y desde allí salían en el helicóptero para surtir de verduras y frutas los caseríos y las estancias patagónicos.

Flor de Negocio duró hasta el mal día en que Pet y el helicóptero desaparecieron tragados por una tormenta imprevista. Nunca los encontraron, ni a Pet ni a los restos del aparato. Descansa en cualquiera de los ventisqueros, bosques o lagos de la Patagonia, que atraen y a veces engullen a los aventureros.

Perdidos el socio y el helicóptero, Carlos No Más cambió de actividad y se dedicó al servicio postal entre la Patagonia y la Tierra del Fuego. Por esas cosas que ocurren en el sur del mundo, un día se encontró pilotando la primera funeraria aérea de los cielos australes.

Cierta mañana de junio, en pleno invierno, Carlos No Más estaba en los corrales de una estancia cerca de Ushuaia. Revisaba el Pipper antes de regresar al norte y esperaba a que los gauchos de la estancia terminaran de asar un cordero. De pronto apareció un Land Rover del que bajaron cuatro desconocidos.

—¿Quién es el piloto del Pipper? —preguntó uno.

—Yo. ¿Qué pasa?

—Tiene que hacernos un servicio. Se le pagará lo que pida —dijo el hombre.

—Lo que pida. El dinero no es problema —indicó otro.

—Cálmense. ¿De qué se trata?

—Ha muerto don Nicanor Estrada, el dueño de la estancia San Benito. Yo soy el capataz —informó el que llevaba la voz cantante.

—Mi sentido pésame. ¿Y qué tiene que ver conmigo?

—Que tiene que llevarlo hasta Comodoro Rivadavia. Allá lo está esperando la familia con el velorio listo. Don Nicanor debe ser sepultado en el panteón familiar.

Aquellos tipos no sabían de qué hablaban. La estancia San Benito está en Río Grande, y Comodoro Rivadavia a unos ochocientos kilómetros de distancia, siempre que se volara en línea recta.

—Lo siento. Mi aparato no tiene suficiente autonomía. Tengo combustible justo para volar hasta Punta Arenas —se disculpó Carlos No Más.

—Lo va a llevar. ¿No oyó de quién se trata? —precisó el capataz.

—No. No pienso llevarlo. Y para que nos entendamos: yo decido cuándo y adónde vuelo, y también quiénes serán mis pasajeros.

—No lo entiende. Si usted se niega a llevar a don Nicanor Estrada, no vuelve a volar ni en la Patagonia, ni en la Tierra del Fuego ni en ninguna maldita parte del mundo.

El capataz aún no había terminado de hablar cuando ya sus acompañantes se levantaban los ponchos para enseñar sus escopetas de cañones recortados.

A veces conviene hacer excepciones. Eso pensó Carlos No Más volando rumbo a la estancia San Benito con un matón por copiloto.

Don Nicanor Estrada le esperaba azul, congelado, en la capilla ardiente que habían montado en el frigorífico de la estancia. Cientos de corderos desollados acompañaban al amo. Algunos gauchos y peones tomaban mate y fumaban mirando con temor al cadáver.

—Es enorme —comentó al verlo.

—Como todos los Estrada. Un metro noventa y ocho —dijo el capataz.

—No entra. Semejante paquete no entra en el Pipper —alegó Carlos No Más.

—Más respeto con don Nicanor. Entra —insistió el capataz.

—Escuchen: comprendo que deben hacer todo lo posible por mandar el fiambre a Comodoro Rivadavia. Pero deben comprender que es imposible. Ese avión es un Pipper, un cuatriplaza. La cabina, desde el panel de instrumentos hasta el ángulo trasero, mide un metro setenta. No entra ni en diagonal.

—La idea es que lo lleve recostado, o sentado. Así, entra.

—Tampoco. El asiento posterior mide noventa centímetros de ancho. No entra recostado, y en cuanto a sentarlo, ¿cuánto hace que lleva muerto?

—Cuatro días. ¿Por qué?

—¡Cuatro días! Está más tieso que un tronco por la congelación y por algo que se llama *rigor mortis*. Van a tener que partirle el espinazo y no creo que eso le agrade a la familia.

—Mierda, es cierto —asintió el capataz.

El muerto, además de enorme, era muy robusto. Debía de pesar sus buenos ciento veinte kilos sin ropa, y allí, tendido con todos sus atuendos, espuelas de plata, botas de acordeón, chiripa, cinturón de suela y plata, facón y poncho, debía de superar los ciento cincuenta kilos.

—Oiga, ¿puede desmontar una parte del techo? —consultó el capataz.

—Todo el techo. Pero entonces me congelo.

—Sólo una parte. Suficiente para que entre el cuerpo. Puede volar a baja altura.

—Está loco. ¿Pretende que lo lleve parado?

—¡De cualquier manera lo vas a llevar, hijo de puta! —chilló el capataz aplastándole la nariz con el cañón de un treinta y ocho.

Lo llevó. Luego de quitar la portezuela del copiloto y atar al muerto a un tablón, lo metieron en el Pipper. Lo metieron por los pies, que sujetaron firmemente a la base del asiento posterior. El muerto descansaba la cintura en el respaldo del asiento del copiloto y parte del tronco, los hombros y la cabeza quedaron al aire. Como lo pusieron boca arriba, parecía ir mirando el ala derecha. Para culminar la faena le cubrieron la cabeza con una bolsa de plástico en la que se leía: «San Benito. Las mejores carnes».

Antes de despegar, Carlos No Más pensó que no era mal negocio eso de la funeraria aérea. El capataz le entregó un cheque por cincuenta mil pesos chilenos, y en Comodoro Rivadavia le esperaba la otra mitad.

Miró la aguja del combustible: *Full.* Los peones de la estancia habían conseguido el combustible necesario para la primera etapa del vuelo hasta Río Gallegos. Trescientos cincuenta kilómetros volando a baja altura, arropado como un esquimal y con un pasajero con medio cuerpo fuera.

Despegó a las dos de la tarde. Por fortuna el tiempo se mostraba bueno, aunque los fuertes vientos del Atlántico movían el Pipper como una coctelera. A los tres cuartos de hora de vuelo divisó el cabo Espíritu Santo y atravesó el estrecho de Magallanes. Cantaba a todo pulmón. Agotó el repertorio de tangos, cumbias, boleros, siguió con la canción nacional y los casi olvidados himnos escolares. Tenía que cantar a todo pulmón para mantener el cuerpo caliente.

A las cinco de la tarde ya era de noche y apenas distinguía la espuma de la costa atlántica. Al pedir autorización para aterrizar en la pista de Río Gallegos le preguntaron si llevaba carga que declarar.

—No llevo carga. Llevo un muerto. *Over.*

—¿Trae el certificado médico que indique la causa del deceso? *Over.*

—No. Nadie me habló de eso. *Over.*

—Entonces, vuelva a buscarlo. *Over.*

—El fiambre se llama Nicanor Estrada. *Over.*

Poderoso caballero don Nicanor, influyente hasta después de muerto. En la pista le esperaba un cura, que casi sufre un infarto al ver la incomodidad en que viajaba el pasajero.

—Hay que bajarlo. ¡Por Dios! Hay que bajarlo y llevarlo enseguida a la catedral —clamó el cura.

—Ni lo piense. Se queda aquí. Al aire libre —indicó Carlos No Más.

—¿Qué clase de alimaña es usted? ¡Se trata de don Nicanor Estrada! —bramó el cura.

—Si lo lleva a la iglesia se va a descongelar y empezará a pudrirse. Supongo que la familia quiere recibir incorrupto a don Nicanor.

Tras ser excomulgado, Carlos No Más convenció al cura para que negociara: misa, sí, pero allí, con el muerto en el avión. De tal manera que a don Nicanor Estrada le ofrecieron un servicio religioso en la pista, a diez grados bajo cero.

Aquella noche Carlos No Más durmió a pierna suelta y cubierto con las mantas de tres camas en una pensión cercana a la pista. Al día siguiente, a las seis de la mañana, se metió un litro de café en el cuerpo, cargó dos termos del ardiente brebaje y, con las primeras luces, despegó, iniciando así la segunda etapa del vuelo hasta Río Chico, que volaría sobre el Atlántico y la bahía Grande hasta ver el faro del cabo San Francisco de Paula, que le señalaría la entrada al continente. Fueron unos doscientos kilómetros de vuelo apacible, porque la necesidad de calentarse llevó hasta su memoria varias canciones de Moustaki que aulló a todo pulmón entre bolero y bolero.

A las diez de la mañana, y tras repostar en Río Chico, inició la tercera etapa del *tour* funerario hasta Las Martinetas, un pueblo a otros doscientos kilómetros, bastante alejado de la costa. Voló siguiendo la línea de carretera que conduce a Comodoro Rivadavia. Abajo pasaban rauda la pampa, los rebaños de ovejas, los grupos de ñandúes que desde la altura se veían como pollos grotescos con el culo al aire. Los ñandúes huían espantados por el ruido del Pipper.

A las dos de la tarde, Carlos No Más y don Nicanor Estrada empezaron la última etapa del viaje. Doscientos kilómetros más y ya llegarían a Comodoro Rivadavia. No había una nube en el cielo, el sol se reflejaba en la congelada capucha del muerto y Carlos No Más seguía cantando, ya medio afónico, jurándose que lo primero que haría al regresar a Chile sería tomar clases de canto.

Al solicitar permiso de pista en Comodoro Rivadavia le preguntaron por qué volaba a tan baja altura. El radar de la Fuerza Aérea argentina apenas lo había detectado.

—Es que llevo a un muerto. Un muerto ilustre. *Over.*

—¿Quién diablos es usted? *Over.*

—Aerofunerarias Australes. *Over* —respondió Carlos No Más con el patético resto de voz que le quedaba.

En la pista, los familiares y las autoridades del lugar lo recibieron con desmayos, insultos, amenazas, que luego de sus explicaciones se transformaron en huecas frases de disculpas. A la espera del segundo cheque, Carlos No Más se vio obligado a sumarse al cortejo fúnebre.

En el cementerio le esperaba una sorpresa. Tras una misa solemne, el cortejo se dirigió al panteón familiar, una suerte de palacete de mármol blanco. Después de sacar al muerto del cajón con la ayuda de una grúa, lo alzaron sosteniéndolo por los sobacos, le cubrieron la cabeza con un sombrero gaucho y finalmente lo bajaron hasta una fosa enorme. Carlos No Más se asomó al borde. Abajo había un caballo embalsamado. A don Nicanor Estrada lo enterraron montado en su caballo.

—Y luego, ¿qué? —le pregunto mientras el temporal arrecia.

—Cobré, me despedí de los deudos y volví. Atiza el fuego. Voy a buscar un pedazo de carne para tirar a las brasas —dice Carlos No Más alejándose con pereza.

Es mi mejor y el más antiguo de mis amigos. Muchas veces, alejado del sur del mundo, pienso en él y tiemblo ante la idea de que algo terrible le haya ocurrido. Y ahora también tiemblo ante las abolladuras del fuselaje del Pipper.

Carlos No Más regresa con un costillar de cordero.

—¿Qué vas a hacer, Carlitos?

—Un asado.

—No. Me refiero a más tarde. Mañana. Qué sé yo.

—Volar. Apenas mejore el tiempo te llevaré a dar una vuelta por el golfo Elefantes. Viniste a ver ballenas. Pues verás ballenas —dice Carlos No Más, mientras tira palitos de romero sobre la carne, observando con ojos infantiles, a ratos el fuego, a ratos a mí y a ratos el avión, que, como un compañero más, también disfruta del calorcillo del hangar, a salvo de la lluvia que cae y cae sobre la Patagonia.

8

La llegada del invierno me sorprende en Puerto Natales. Hace apenas cuarenta y ocho horas me paseaba por la playa frente al golfo Almirante Montt, admirando la puesta de sol de un glorioso día de abril. Pero ayer empezó a nevar copiosamente, y la temperatura bajó con violencia de los seis grados a los cuatro bajo cero. La radio anuncia que han cerrado el aeropuerto, de tal manera que salir de aquí se ha vuelto particularmente difícil.

Puerto Natales está en la costa este del golfo Almirante Montt. Hacia el oeste se entrecruzan unos doscientos cincuenta kilómetros de canales hasta el estrecho Nelson y el Pacífico. Los navegantes chilotes son los únicos que se aventuran por esos angostos pasos en los que acecha la muerte helada; los bloques de hielo que las mareas arrancan de los ventisqueros y que muchas veces bloquean los canales durante meses.

Es imposible salir de Puerto Natales por mar en invierno. Hay que hacerlo por tierra, cruzar la frontera y dirigirse al pueblo argentino de El Turbio.

De allí sale el más austral de los ferrocarriles, el verdadero Patagonia Express, que, luego de doscientos cuarenta kilómetros de marcha que unen ciudades como El Zurdo y Bellavista, llega a Río Gallegos, en la costa atlántica.

El convoy, integrado por dos vagones de pasajeros y otros dos de carga, es arrastrado por una vieja locomotora de carbón, fabricada en Japón a comienzos de los años treinta. Cada vagón de pasajeros dispone de dos largas bancas de madera que lo recorren de punta a cabo. En un extremo hay una estufa de leña que los mismos pasajeros deben ir alimentando y, encima de ella, un cromo con la imagen de la virgen de Luján.

No son muchos los pasajeros que me acompañan. Apenas un par de peones de estancia que, en cuanto se tumbaron en las bancas, se largaron a roncar, y un pastor protestante empeñado en repasar los Evangelios con la nariz metida entre las páginas. El hombre va doblado en dos y siento deseos de ofrecerle mis lentes.

—Ahí hay leña. Vea que no se apague la estufa —aconseja el revisor.

—Gracias. No tengo boleto. Quise comprarlo en El Turbio, pero no tenían.

—No se preocupe. Lo compra en la próxima parada, Jaramillo.

Una capa de nieve cubre los pastizales, y la pampa, siempre salpicada de marrón y verde, cobra una tonalidad espectral. Así, el Patagonia Express avanza por un paisaje blanco y monótono que adormece al pastor. La Biblia cae de sus manos y se cierra. Parece un ladrillo negro.

El Patagonia Express es el tren de los ovejeros. Cada final de invierno, cientos de chilotes llegan hasta Puerto Natales, cruzan la frontera y en el tren se dirigen a las estancias ganaderas. Son hombres fuertes que, hastiados de la pobreza chilota y de la proverbial dureza de carácter de las mujeres isleñas, salen a buscar fortuna en el continente. Son hombres fuertes, pero de corta vida. En Chiloé se alimentan de mariscos y papas. En la Patagonia, de cordero y papas. Muy pocos han probado alguna vez fruta —de no ser manzanas— o alguna verdura. El cáncer de estómago es una enfermedad endémica entre los chilotes.

La estación de Jaramillo es un edificio de madera pintado de rojo. La arquitectura tiene un cierto dejo escandinavo. Las tejuelas finamente talladas que adornan las canaletas de la lluvia se mecen con el viento, faltan muchas, y las que quedan también caerán sin que una mano se preocupe por fijarlas o reponerlas.

Jaramillo es apenas la estación y un par de casas, pero el tren se detiene allí para cargar agua. Esa parece ser toda la importancia del lugar, aunque en él se mantenga viva la memoria trágica de la Patagonia, la memoria paralizada en el reloj de la estación: las nueve y veintiocho minutos.

En 1921, en la estancia La Anita, empezó la

última gran revuelta de los peones y de los indios. Liderados por un gallego anarquista, Antonio Soto, más de cuatro mil personas, entre hombres y mujeres, ocuparon la estancia y la estación de Jaramillo. Proclamaron el derecho a la autogestión y durante un par de semanas vivieron la ilusión de ser la primera Comuna Libre de la Patagonia, que ellos ingenuamente bautizaron como Sóviet. La respuesta de los terratenientes no se hizo esperar. El gobierno argentino envió un fuerte contingente de tropas a terminar con los insurrectos. Llegaron al mediodía del 18 de junio de 1921.

Los hombres se hicieron fuertes en la estación de Jaramillo y las mujeres permanecieron ocupando las casas de la estancia. Sus armas eran cuchillos facones, un par de revólveres arrebatados a los capataces, lanzas y boleadores. El ejército llevaba fusiles y ametralladoras.

El capitán Varela, al mando de las tropas, luego de rodear la estación, les dio plazo hasta las diez de la noche para rendirse, garantizando la vida de todos los que depusieran las armas, pero, palabra de militar a fin de cuentas, Varela no respetó el plazo y a las nueve y veintiocho minutos dio la orden de abrir fuego.

Nunca se supo el número exacto de víctimas. Cientos de hombres fueron fusilados frente a tumbas que antes debieron cavar ellos mismos. Cientos de cuerpos fueron quemados, y por la pampa se extendió el olor de los cadáveres abrasados.

Las nueve y veintiocho. Una bala detuvo la marcha del reloj, y así permanece.

—Lo han reparado muchas veces, pero siempre alguien se encarga de estropearlo y poner la hora que debe marcar —me indica el revisor.

—Todos eran subversivos. El que los lideraba, el gallego ése, los convenció de que la propiedad era un robo. Estuvo bien que los mataran a todos. Con los subversivos no hay que tener piedad —se entromete el pastor.

Los peones, que han despertado, le responden con gestos obscenos, el revisor se encoge de hombros y el pastor se refugia en la lectura de su ladrillo negro.

El sol se pone por el oeste, se hunde en el Pacífico, y sus últimos destellos proyectan la sombra del Patagonia Express sobre la blanca pampa mientras se aleja en sentido contrario, hacia el Atlántico, hacia donde empiezan los días.

9

Siempre regreso a Río Mayo, una ciudad patagona a unos cien kilómetros de Coyhaique y a otros doscientos cincuenta de Comodoro Rivadavia. Siempre regreso, y lo primero que hago al bajar del bus, camión u otro vehículo que me deja en el cruce de caminos es cerrar los ojos para que no me ciegue la polvareda. Luego los abro lentamente, me echo la mochila a la espalda y camino hacia un edificio de madera ricamente trabajada.

Es una noble ruina, un mudo testigo de tiempos mejores que, tras el empujón para abrir la puerta, descubre lo que fue el salón de baile, el casino, el podio de la orquesta, el bar con sus taburetes tapizados de cuero marrón, ahora en gran parte devorados por las cabras, y el retrato de la Reina Victoria que un pintor dotado de una curiosa noción de la anatomía pintó en el muro central de la recepción. Los ojos de la soberana británica están corridos hacia los costados, casi rozándole las orejas, y las aletas nasales, muy africanas, le ocupan la mitad de la cara.

«Salve, Regina», la saludo, y me siento a fumar un cigarrillo, antes de despedirme de ella. Sé que afuera, invariablemente, habrá algún lugareño esperándome. Esta vez se trata de una mujer. Se aferra a una cesta y me mira con ojos maliciosos.

—Se equivocó —me dice.

—¿No es éste el Hotel Inglés?

—Sí, pero hace diez años que está cerrado. Desde la muerte del gringo —añade.

—¿Cómo? ¿Cuándo murió Mister Simpson? —le pregunto aunque conozco la historia, sólo por el placer de escuchar una nueva versión.

—Hace diez años. Se encerró con cinco mujeres, bueno, usted comprende, de ésas de la vida. Y murió, el muy chancho.

Cinco mujeres. En mi anterior visita, un lugareño me habló de doce prostitutas francesas. Tal vez menguan las leyendas. En todo caso, lo cierto es que, cuando Thomas Simpson supo que el cáncer le roía los huesos y el médico le diagnosticó como máximo tres meses de vida, regaló el hotel a los trabajadores conservando para él nada más que la suite presidencial. Hizo subir unas cajas de habanos, un barril de Scotch y se encerró con un grupo indeterminado de damas alegres y bien pagadas, que tenían la tarea de apresurar su muerte de la manera más grata.

A la semana, la noticia de su dulce agonía había corrido hasta Comodoro Rivadavia. La colonia inglesa se encargó de enviar a un clérigo para detener el escándalo, pero, cuando el aleluya *brother* intentó pasar a la suite, lo detuvo un pedazo de plomo calibre cuarenta y cinco que le destrozó una pierna. Simpson murió como quiso, y el hotel se fue al infierno en muy poco tiempo.

—Hay otro hotel al final de la calle. Si quiere lo llevo —me informa la mujer.

Le doy las gracias y echo a andar en la dirección indicada. Sé que allí está el San Martín, el mejor hotel de la Patagonia.

Es un caserón esquinero de una sola planta. A través de la nube de polvo que pasa incesante por la calle percibo que subido a una escalera arrimada a la fachada hay un tipo repasando la pintura del letrero que identifica el establecimiento.

—Eh, amigo. ¿Es usted el dueño del hotel? —le grito desde abajo.

—Si fuera el dueño, no estaría aquí —me grita desde arriba.

—¿Puede llamar al dueño? —vuelvo a gritar desde abajo.

—No está. No hay nadie. Entre y sírvase un mate —grita el pintor.

Le obedezco y, mientras empujo la puerta de dos batientes, pienso en que ése no es argentino. Habla con un acento demasiado cantarín.

El comedor no ha cambiado en estos dos últimos años. Las mismas mesas de hierro con tablero de formica, las mismas sillas de madera, y encima de cada mesa un coqueto florero con rosas y claveles de plástico. Tras la barra de madera se alinean las botellas de vino, grapa y caña. Y, en el lugar de honor, en el espejo, un retrato de Carlos Gardel enseñando una dentadura perfecta.

El Hotel San Martín. Hasta 1978 el lugar servía de bodega del municipio. Ese mismo año llegaron a Río Mayo dos delegados políticos: el turco Gerardo Garib, que de turco no tenía nada pues era argentino de Buenos Aires, sindicalista no corrompido por el peronismo y descendiente de palestinos, y su mujer, la turca Susana Grimaldi, que tampoco tenía nada de turca —salvo el estar casada con el turco—, pues era uruguaya, de Colonia, profesora de música, y sabía maldecir maravillosamente en el italiano de sus progenitores.

Susana y Gerardo tuvieron suerte durante la dictadura. Pasaron por la monstruosa experiencia de los chupaderos, de las desapariciones, conocieron la tortura, pero salieron con vida del laberinto del horror, condenados a cinco años de relegación en la Patagonia.

Los dos eran emprendedores, de tal manera que, al año y medio de llegar, Susana daba clases de música a una docena de aspirantes a Gardel, y Gerardo conseguía alquilar el edificio para abrir un hotel.

—¿Se sirvió mate? —El pintor entra e interrumpe mis pensamientos.

—No. Estaba por hacerlo.

—¿Tiene hambre? Si quiere le hago unos pan-

146

queques. Hago los mejores panqueques de la Patagonia. Son famosos mis panqueques.

—¿Chileno?

—De Chiloé. Vine a trabajar en una estancia, pero me enfermé y el turco me contrató como cocinero, barman y restaurador.

—¿Y dónde está el turco? ¿Y Susana?

—Veo que los conoce. Se fueron al funeral.

—¿A qué funeral? ¿De quién?

—De un viejo. Carlitos, le decían.

—¿Carlitos Carpintero?

—El mismo. ¿También lo conocía?

Carlitos Carpintero. En 1988, en Estocolmo, una organización que propone y otorga premios Nobel alternativos decidió galardonar a un misterioso profesor llamado Klaus Kucimavic con el Premio Nobel Alternativo de Física. El tal profesor Kucimavic había escrito en 1980 largas cartas a varias universidades de Europa comunicando que, según sus estudios realizados en la Patagonia, se estaba abriendo un peligroso agujero en la capa de ozono que protege la atmósfera. Precisaba el diámetro del agujero y las variables de progresión con tal exactitud que ocho años más tarde fue corroborado por la NASA y algunas instituciones científicas de Europa. El profesor Kucimavic no pudo ir a recoger el premio porque nadie supo cómo invitarlo. El remite de sus cartas decía Provincia del Chubut, Argentina, y nada más.

Una publicación alemana me encargó viajar a

la Patagonia para dar con el misterioso profesor. Recorrí varios pueblos y ciudades sin éxito, y finalmente vine a dar a Río Mayo. Aquí, luego de intimar con Susana y Gerardo, una noche me invitaron a una partida de «truco» organizada por Carlos Alberto Valente, uno de los gauchos más originales y nobles que he conocido. Jugamos y reímos hasta altas horas de la noche y, cuando luego de comer hablamos de nuestros asuntos, le conté a Valente el motivo de mi presencia en Río Mayo.

—¿Cómo decís que se llama?

—Kucimavic. Klaus Kucimavic.

—Carlitos Carpintero. Así se llama, Carlitos Carpintero.

—¿Quién es Carlitos Carpintero?

—El que vos andás buscando. Un viejo loco que apareció por aquí hace un montón de años. Loco pero no tonto. Inventa cosas. A mí, por ejemplo, me inventó un sistema para convertir la mierda de las vacas en gas. Tengo agua caliente gratis. Biogás lo llama el viejo. Sí. Loco pero no tonto. Se pasa mucho tiempo mirando el cielo y midiendo los rayos del sol con unos espejos. Dice que en pocos años vamos a quedar todos ciegos.

Al día siguiente conocí a Kucimavic. Era un vejete enclenque, envuelto en un grasiento mameluco de mecánico. Cuando lo visité, reparaba o mejoraba un sistema de duchas para desparasitar ovejas.

Desde el primer momento negó llamarse Klaus Kucimavic, y en su original español aseguró ser argentino de toda la vida.

—¿Cómo vas a ser argentino si hablás como bestia? —le comentó Valente.

—Yo habla castilla mejor que tú, malacara —respondió el viejo.

Pero Valente poseía un documento emitido por las autoridades argentinas que lo identificaba. El viejo se lo había dado a guardar alguna vez. Cuando no pudo negar su identidad accedió a hablar, pero de mala gana.

Había nacido en Eslovenia. Durante la segunda guerra mundial formó en las filas de los ustachas croatas, peleando al lado de los nazis en los Balcanes. Al final de la guerra eludió a la justicia de los partisanos de Tito y emigró a Argentina, decidido a empezar una nueva vida en Sudamérica, pero al poco tiempo se encontró con que los israelitas, envalentonados tras haber cazado a Adolf Eichmann, impulsaban una caza de ex nazis o colaboracionistas en Argentina. Así, Klaus Kucimavic abandonó su cátedra de física en la Universidad de Buenos Aires y se perdió en la Patagonia, en esa parte del mundo donde no se hacen preguntas y el pasado es simplemente un asunto personal.

En Río Mayo lo querían todos. Era un viejo servicial que, pese a su fama de huraño, no vacilaba en reparar una radio, una plancha, un caño de agua, un motor, sin cobrar jamás un centavo.

Me confirmó las mediciones en la capa de ozono y se negó terminantemente a hablar del premio.

—Diga a esos boludos que antes de dar premios detengan la polución atmosférica. Premios son para reinas de belleza —señaló indignado.

Tuve en mis manos suficiente materia prima como para un largo reportaje sobre el descubridor del agujero en la capa de ozono, pero, de haberlo publicado, hubiera roto la armonía de los habitantes de Río Mayo, de manera que me olvidé del tema y Kucimavic pasó a ser, también para mí, Carlitos Carpintero.

—Se nos fue Carlitos —dijo el turco Garib, abrazándome.

—Sabía que volverías. Bienvenido —saludó Susana.

Aquella tarde nos sentamos muy temprano a la mesa. Comprobé que el chilote era efectivamente un buen cocinero y que sus panqueques eran insuperables. Hablamos de nuestras vidas. Yo podía regresar a Chile, pero seguía en Europa. Ellos podían regresar a Buenos Aires, pero seguían en la Patagonia. La charla con los amigos me confirmó una vez más que uno es de donde mejor se siente.

—¿Sabés?, la última vez, cuando te fuiste, me dio la impresión de que llevabas un gran problema. Supongo que te costó no escribir sobre Carlitos —dijo Susana llenando los vasos de grapa.

—Sí, cargué con un tremendo peso de conciencia. No dejaba de preguntarme: ¿y si Carlitos fue realmente un criminal de guerra, uno de aquellos mismos fascistas que nos jodieron la vida?

—No. Carlitos fue un tipo que luchó en el bando equivocado. No fue un criminal —aseveró el turco.

—¿Por qué estás tan seguro?

—La Patagonia te enseña a conocer a la gente por su forma de mirar. Carlitos era miope, por eso llevaba esos lentes de culo de botella, pero cuando hablaba con los amigos se los quitaba y miraba fijamente a los ojos. Y su mirada era limpia.

—Dile cuáles fueron sus últimas palabras —pidió Susana.

—Sus últimas palabras. Qué macana. Salió del coma un par de minutos antes de morir. Me tomó la mano y dijo: «Qué cagada, turco, qué cagada, no te arreglé la nevera». ¿Entendés? Si Carlitos hubiese tenido la conciencia sucia, no habría muerto preocupado por mi nevera.

Susana se levantó a atender a otros parroquianos y abrió las ventanas que daban a la calle. Fuera ya no soplaba viento y la ausencia de polvo permitía ver la vereda de enfrente. A esa hora nada se interponía entre las gentes y la tranquila noche de la Patagonia.

10

«Deje la botella», ordeno al muchacho que acaba de servirme un vaso de ron. Bebo. Entra como un leve consuelo que consigue paliar el agotamiento y el sopor que produce al aire caliente y húmedo que viene de la selva.

Estoy en Shell, un poblado pre-amazónico del Ecuador, en una cantina sin puerta ni ventanas. Miro hacia fuera, veo que las ramas de las palmeras de la única calle permanecen quietas, también aletargadas bajo un cielo limpio de nubes.

Buen cielo para volar con el capitán Palacios. Diablos, ¿cuál sería su nombre de pila? Para los habitantes del lugar, el aviador que mataba las horas en tierra meciéndose en la hamaca y despachando botellas de ron San Miguel era simplemente el capitán Palacios. Y así también lo llamaban en los cientos de caseríos y poblados amazónicos a los que visitó con su destartalada avioneta. ¿Y el socio? ¿Cómo se llamaba el socio?

Los conocí cierta tarde en que debía volar de Shell a San Sebastián del Coca. Un camión me dejó en la que parecía ser una calle ancha. Apenas bajé sentí que mis pies se hundían en el lodo y vi que no estaba solo; varios puercos retozaban felices en el lodazal.

—¿Y cómo se llega al aeropuerto? —pregunté al camionero.

—Ahí lo tiene, *man*. Todo lo que está a la orilla del camino es el aeropuerto —dijo señalando un extenso campo de lodo.

A un costado del campo se veía una construcción de madera y techo de zinc. Eché a andar en esa dirección y, a medida que me acercaba, fui escuchando la voz de un locutor deportivo que transmitía un partido de fútbol.

La construcción tenía puertas correderas y estaban abiertas. Dentro, un voluminoso mulato observaba unas piezas metálicas semisumergidas en medio tambor de aceite. Con una mano removía lentamente las piezas confiando a la gasolina el trabajo de quitar la escoria, y con la otra sostenía un largo cigarro. Sus movimientos de cabeza indicaban su absoluto desacuerdo con lo que decía el locutor. Una lona verde tendida de muro a muro dividía la construcción ocultando la parte trasera. El mulato me miró sin el menor interés y volvió a concentrar su atención en el partido de fútbol.

—Buenas tardes —saludé.

—Eso se puede discutir. ¿Qué se le ofrece, *mister*?

—Tengo que volar al Coca. ¿Puede decirme cómo lo hago?

—Seguro. Para volar basta con agitar los brazos, correr para tomar impulso y encoger las patas. ¿Algo más?

—No joda, compadre. Tengo que volar al Coca.

—Seguro, *mister*. Hable con el capitán Palacios.

—¿Dónde lo encuentro?

—Dónde va a ser, en el bar de Catalina. Chapotee por el lodo hasta el final de la calle. Y cuidado con los puercos. Son muy hijueputas.

El bar de Catalina ocupaba una choza de unos treinta metros cuadrados. Al fondo estaba la barra, frente a ella unos hombres echándose tragos y hablando de sus asuntos. En el centro colgaba una hamaca de yute, ocupada por un tipo de cabellera cana que dormía a pierna suelta. A un costado, y con expresión de infinita paciencia, una mujer y un hombre esperaban sin otra ocupación que mantener el vaivén de las sillas mecedoras. La mujer sostenía un costal en su regazo. De él asomaban las cabezas de dos cerdos muy pequeños. El hombre apoyaba los pies en una jaula de alambre, desde donde un gallo de ojos iracundos miraba con odio a los cerditos.

—Busco al capitán Palacios —dije a la mujer que atendía.

—Ahí lo tienes, papacito —me contestó señalando al ocupante de la hamaca.

—¿Puede despertarlo?

—Depende de para qué. Se pone bravo cuando lo despiertan sin motivos.

—Tengo que volar al Coca...

No alcancé a decir más. La mujer de los cerditos se incorporó como impulsada por un resorte y empezó a remecer la hamaca.

—¿Qué pasa, carajo? —masculló el recién despertado.

—Que tiene otro pasajero. Ya completó el cupo. Ahorita podemos volar —dijo la mujer sin dejar de remecer la hamaca.

El capitán Palacios se desperezó, se frotó los ojos, bostezó y finalmente bajó de la hamaca. No medía más de un metro sesenta y vestía un desteñido mameluco de piloto, de ésos llenos de cremalleras.

—¿Cómo está el tiempo? —consultó sin dirigirse a nadie en particular.

—Como la mierda —respondió un tipo de la barra.

—Podía estar peor. Volamos entonces —replicó Palacios.

Salió del bar con paso seguro. La mujer de los cerditos, el hombre del gallo y yo lo seguimos. En el aeropuerto, el mulato que antes me mandara al bar seguía ocupado con las piezas metálicas y con el fútbol.

—Socio, cobre —ordenó Palacios apenas entramos.

—¿Qué? ¿Va a volar con este tiempo? —observó el mulato señalando el techo. Un poco más arriba grises nubes presagiaban una tormenta.

—Si vuelan los gallinazos, que son más feos, no veo por qué no podría hacerlo yo —replicó Palacios.

—Qué tipo tan terco. A ver, ustedes, vayan dándome sus nombres. Es algo muy útil para identificar los cadáveres en caso de accidente. Son doscientos cincuenta sucres por nuca —indicó el mulato.

La mujer de los cerditos iba a Mondaña, un caserío de colonos a unos noventa kilómetros de Shell al que también podía llegarse por otros medios: primero a pie hasta Chontapunta, luego en canoa por el río Napo, siempre y cuando hiciera buen tiempo y se tuviera la paciencia necesaria como para realizar un viaje de dos a tres días.

El hombre del gallo iba hasta San José de Payamino, un poblado junto al río Payamino. El corral de gallos de San José de Payamino es famoso en la Amazonia. Se apuesta fuerte allí, y muchas fortunas amasadas por los garimpeiros tras arduos años de trabajo destrozando la selva y sus propias vidas navegan en la sangre del gallo derrotado hasta las faltriqueras de los apostadores profesionales. El hombre iba a probar suerte con su gallo campeón. Era una máquina de matar aquel pequeño gallo cobrizo. Así lo aseguraba su dueño, indicando que la semana anterior había destripado ocho adversarios en la gallera de Macas. También hubiera podido hacer el viaje por vía terrestre y fluvial, pero le habría llevado unos cinco días que habrían fatigado al gallo.

—¿Qué esperan? ¡A jalar! —ordenó Palacios descorriendo la lona verde. Allí estaba la avioneta. Un viejo y descolorido Cessna de cuatro plazas.

Los hombres tiramos de las cuerdas atadas al tren de aterrizaje y arrastramos el cacharro hasta la pista. Miré los más que notorios remiendos del fuselaje y jamás antes sentí tan cerca la fuerza del arrepentimiento, pero tenía que llegar al Coca, a ciento ochenta kilómetros de Shell, y la vía más corta era por aire.

Repitiéndome como en una plegaria «estos aviones son seguros, muy seguros, absolutamente seguros», subí a bordo. Me tocó el asiento del copiloto. A mi espalda gruñían nerviosos los cerditos. El gallo permanecía ausente a los ajetreos previos al despegue.

—San Sebastián... San Sebastián... responda...

El capitán Palacios le hablaba a un micrófono. Como toda respuesta recibió una serie de silbidos. Tras manipular unas perillas que sólo consiguieron aumentar el volumen de los silbidos, colgó el micrófono.

—Te dije que arreglaras esta vaina. Te lo dije.

—Esa pendejada no tiene arreglo. Soy mecánico. No hago milagros —precisó el mulato.

—Conforme. Qué más da. Igual nos verán llegar.

La avioneta empezó a corretear por el lodo y, al echar una mirada al panel de instrumentos, sentí deseos de saltar. Nunca antes había visto un panel tan humilde. Entre varios agujeros vacíos y restos de cables que alguna vez fueron sin duda instrumentos de navegación, se veía oscilar la aguja del altímetro y la del tanque de combustible. El «horizonte» o indicador de estabilidad, que debe ir paralelo a la tierra, estaba casi vertical.

—Oiga..., el horizonte no funciona —comenté ocultando el pánico.

—No importa. El cielo está arriba y el suelo abajo. Lo demás son pendejadas —concluyó Palacios.

Despegamos. La avioneta se elevó unos ciento cincuenta metros y se estabilizó con suavidad. Volábamos bajo un techo de nubes espesas y grises. El aire caliente de las tormentas se apropió de la cabina. Con cierto alivio vi que la brújula funcionaba: íbamos en dirección noreste. A los veinte minutos vimos la verde línea serpenteante de un río.

—Mire qué belleza: el Huapuno. Ya nos metemos en la Amazonia —exclamó el piloto.

—Creía que el territorio amazónico empezaba bastante más al este —comenté.

—Pendejadas de los políticos. La Amazonia empieza con las primeras gotas que van a dar al gran río. ¿Qué se le perdió en el Coca, *man*?

—Nada. Visito a unos amigos.

—Eso está bien. Nunca hay que olvidar a los amigos. Aunque se encuentren en el mismísimo infierno, hay que ir a verlos. Pensé que era un garimpeiro. No me gustan los garimpeiros.

—A mí tampoco me gustan.

—Son una plaga. Al menor rumor de mierda brillante aparecen por miles. A veces siento ganas de cargar la avioneta con gas venenoso y darles una fumigada. ¿Qué le parece el vuelo?

—Hasta ahora bien. Ninguna queja.

El plan de vuelo del capitán Palacios era bastante simple: por debajo de las nubes seguía el curso del río Huapuno hasta que se unía con el Arajuno formando un río mayor que continuaba su curso en dirección noreste. Abajo, la selva era como un gigantesco animal en reposo, resignado a recibir el aguacero que no tardaría en caer.

—Usted no es de aquí, *man*.

—No. Soy chileno.

—Ajá. Dos veces ajá.

—¿Qué quiere decir con eso?

—Que usted está aquí, o bien porque es un demente, o bien porque no puede vivir en su país. Cualquiera de los dos motivos me resulta simpático. Mire los flamingos allá abajo. ¿Ha visto pájaros más hermosos?

Tenía razón en todo: sólo un demente se habría subido a una avioneta como aquélla, yo no podía en efecto vivir en mi país y, allá abajo, en una laguna formada por los desbordes del Huapuno, una multitud de hermosos flamingos esperaba la tormenta.

A la hora de vuelo divisamos un claro de selva pegado a la ribera oeste del río Napo, donde asomaban cuatro o cinco casas de caña y palma. Eso era Mondaña. Tras descender unos cincuenta metros lo sobrevolamos en círculos.

—No se alarme. Es para que los muchachos tengan tiempo de acomodar la pista.

Abajo, varias personas corrieron hasta la playa, quitaron ramas y piedras y, agitando los brazos, nos indicaron que podíamos bajar. Palacios demostró que era capaz de aterrizar en una toalla.

Luego de dejar a la mujer y sus cerditos y de recibir algunos encargos de los lugareños, emprendimos el segundo despegue. Palacios movió la nave hasta un extremo de la playa, tomó velocidad y despegamos casi a ras del agua. A los pocos minutos seguíamos el curso del río Napo.

—¿Todavía está nervioso, *man?* —consultó Palacios con ironía.

—No tanto como al principio. ¿Hace mucho que vuela? Se lo pregunto porque el despegue en la playa fue formidable.

—Pero yo me cagué de miedo —dijo desde atrás el hombre del gallo.

—¿Mucho tiempo? Demasiado. Ya lo olvidé —respondió el capitán Palacios.

—¿Es suya la avioneta?

—¿Mía? Digamos que nos pertenecemos. Yo sin ella no sabría qué hacer, y ella sin mí no llega a ninguna parte. Mire qué lindo es el Napo. En esta parte inunda dos veces al año grandes extensiones de selva y se pescan unos bagres enormes.

—Así es. Hace poco vi sacar uno que pesaba ciento cuarenta libras —indicó el hombre del gallo.

—¿Por qué le interesa la avioneta? ¿Entiende de aviones?

—Algo. El motor suena muy bien.

—Seguro, *man*. Tengo un buen mecánico. El mulato que vio en Shell es mi socio y se encarga de que todo esté a punto. Este aparato pertenecía a unos curas que hicieron un aterrizaje forzoso cerca de Macas. Aterrizaron en la copa de unos árboles y allí lo dejaron. Nosotros lo compramos como chatarra y en un par de meses lo tuvimos volando de nuevo.

La pista de aterrizaje de San José de Payamino era un amplio claro ganado a machete. Servía además de cancha de fútbol, mercado, y plaza mayor. Allí dejamos al hombre del gallo, le deseé suerte, repostamos combustible y continuamos el viaje volando sobre el río Payamino hasta que sus aguas se unieron a las del Puno y, más tarde, siempre con rumbo noreste, sobrevolando puerto San Francisco de Orellana, vimos al Puno y al Coca desembocar en el gran río Napo, que se tuerce hacia el sureste. Sus aguas viajan unos mil trescientos kilómetros para ir a alimentar la soberbia correntada del Amazonas.

Durante la última etapa del vuelo, el aviador me contó algunos detalles de su vida. Había sido piloto de la Texaco, muy bien pagado, hasta que un día descubrió que no le gustaban los gringos y que estaba enamorado de la Amazonia.

—Es como una mujer, *man*. Se le mete a uno dentro, bajo la piel. No pide nada, pero uno acaba haciendo todo lo que cree que ella quiere.

En San Sebastián del Coca seguimos charlando y, tras una noche de juerga en la que nos llenamos de ron hasta las orejas, decidimos que podíamos ser amigos. Y vaya si lo fuimos. A él le debo conocer desde el aire las más secretas y fascinantes regiones amazónicas, muchos misterios de ese mundo verde que él conocía mejor que a sí mismo, y cuando, varios años después de nuestro primer vuelo, regresé para hacer una serie de reportajes sobre la criminal devastación del universo verde, allí estaba el capitán Palacios, dispuesto a llevarme a donde fuera necesario.

Lo vi por última vez en El Pantanal, entre Brasil y Paraguay, en el bajo Matto Grosso. Nos despedimos eufóricos, con la alegría que brinda el ron bebido en un rito de amigos, y la satisfacción de haber hecho un buen trabajo filmando un documental sobre el exterminio de los *jacarés*, caimanes amazónicos cuya piel termina en desfiles de moda en Europa. Todo el equipo que participó en el documental coincidió en que, sin el concurso del capitán Palacios, hubiera sido una misión imposible.

—Nos vemos, *man*. No necesito decirle que vuelva. Usted también tiene la Amazonia metida dentro y no puede vivir sin ella. Cuando se trate de joder a los hijos de puta que la destrozan, ya sabe dónde me encuentra.

Y lo busqué. Antes de sentarme en esta cantina y pedir la botella de ron que voy vaciando lentamente, lo busqué hasta el cansancio. No lo encontré. Tampoco al socio, el mulato. Alguien me informó que los dos habían despegado con rumbo desconocido y no regresaron. El informante no recordaba con precisión cuándo había sido. La vida y el olvido se suceden con demasiada rapidez en esta parte del mundo.

¿Qué habrá sido de esos dos magníficos aventureros? ¿De aquel cuyo nombre de pila nunca conocí? ¿De aquel que siempre me trató de «usted, *man*»? ¿De mi amigo, el capitán Palacios?

Parte final
Apunte de llegada

.

Alguien me dio unos golpecitos en un hombro.

—Despierte. Estamos en Martos.

Me costó reconocer al chófer y aceptar que estaba en un bus. No hacía más de una hora que lo había abordado en Jaén, y apenas apoyé la cabeza en el respaldo del asiento me dormí como un tronco.

—¿Martos?

—Sí, hombre. Martos.

Al bajar sentí que el sol del mediodía pegaba como un garrote. No había ni una sola nube en el cielo y no soplaba la menor brisa. Las calles mostraban la inmaculada blancura de sus casas adornadas con persianas verdes, y por todas partes se veían macetas con las plantas que más amo: los humildes y resistentes geranios.

No había gente en las calles y yo sabía que era normal a la hora de la canícula. De alguna casa salía el sonido de una radio y, así, avanzando entre muros blancos, caminé sin rumbo hasta que llegué a una fuente. Caía un delgado chorro por un caño y hería sin rencor la lisa superficie. Haciendo un cuenco con las manos bebí de aquella agua fría, reconfortante y de sabor mineral, que venía desde algún lugar de las sierras para prodigar su mensaje de alivio a los sedientos y luego seguir hasta las raíces de los olivos que se ordenaban en las lomas.

Al beber vi en mi imagen reflejada en el agua unos rasgos ajenos pero familiares. Me acerqué a la superficie y lentamente mi rostro se fue llenando con los detalles faciales de mi abuelo.

—Llegué, Tata. Estoy en Martos.

El viejo me miró con ojillos traviesos y soltó una de sus frases incuestionables:

—Nadie tiene que avergonzarse de ser feliz.

Entonces sentí que el cansancio del viaje me hacía temblar y me nublaba los ojos. Hundí la cara en la fuente y enseguida me eché a andar.

Llegué hasta una pequeña plaza con un bar. Entré. Los cinco o seis parroquianos acodados a la barra me observaron unos segundos y luego siguieron con su animada charla.

—¿Qué va a ser? —consultó el mesonero.

—No sé. ¿Qué toman los de Martos a esta hora?

—Un vino, una caña... en materia de gustos...

—Ponle un fino, Manolo —indicó uno de los parroquianos.

El mesonero sirvió, probé. En aquel fino estaba el mismo sol que brillaba fuera. Vacié la copa con evidente placer.

—Bueno, ¿eh? —dijo el mesonero.

—Muy bueno.

Yo deseaba hablar con aquellos hombres, decirles que venía de muy lejos buscando una huella, una sombra, el minúsculo vestigio de mis raíces andaluzas, pero también quería escucharlos, llenarme de ese acento cerrado, un tanto hosco, despojado del tono cantarino de los andaluces de la costa.

Entraron dos nuevos clientes, dos individuos que venían charlando desde la calle. Pidieron dos copas de vino tinto. Uno de ellos alzó la suya sin decir una palabra, pero con un gesto elocuente que valía más que un discurso. El otro, más locuaz, respondió con un breve discurso.

—Que haya salud.

Bebieron con ademanes sacramentales. Luego, al dejar la copa en la barra, el que hablara se llevó el dorso de una mano a los labios. El mundo estaba en paz. La vida no podía ser más armoniosa, así que retomaron la conversación.

—Pues, como te iba diciendo, eso de los tomates puede ser un gran negocio. Si se sabe llevar, claro.

—Y el muy idiota, dale con que tengo reuma. Reuma yo. Habráse visto.

—Los holandeses hacen fortunas con los tomates. Pero dime tú, ¿de dónde sacan sol los holandeses?

—Que debo ir a unos baños termales. Me cago en la hostia. Es que esos médicos de la Seguridad creen que somos unos señoritingos. ¡Joder!

—Un buen tomate no puede crecer en una jaula. ¿Has visto qué tomates se dan en Torredonjimeno? Sol y agua de la quebrada es lo que necesitan los tomates.

—Es lo que yo digo: donde haya un buen emplasto no hay dolor de huesos ni perro muerto. ¡Coño! Se me ha hecho tarde.

—Hala, Pepe. A comer. Salúdame a la parienta y a ver si un día de estos nos juntamos para seguir hablando. Y cuídate.

—Hombre, tú sabes cómo es esto.

—Me lo vas a decir a mí, Pepe.

El que aparentemente no tenía reuma salió, y de pronto me vino a la memoria uno de los recuerdos de mi abuelo.

—¿Hay en Martos un bar que se llame de los Cazadores?

—No, que yo sepa —dijo el mesonero.

—¿Cómo que no? —intervino el cultivador de tomates.

—A ver: está el de Miguel, el Castillo, el de la Peña...

—Manolo. Pon atención. ¿Cómo se llamaba antes este bar?

—Ha tenido varios nombres. Déjame pensar.

—Hasta el año cincuenta se llamó de los Cazadores, joder. Así es como lo olvidáis todo.

—Yo nací el cincuenta y dos. ¿Cómo quieres que lo sepa?

—Este tiene razón. Se llamaba bar de los Cazadores y tenía dos ganchos junto a la puerta. En uno se colgaban los macutos y en el otro las escopetas. Vaya si me acuerdo —precisó otro de los parroquianos.

De tal manera que, posiblemente, estaba en el mismo lugar en el que mi abuelo se echaba al coleto unas copas de fino.

Una vez aclarado lo del nombre del bar, los hombres me observaron con indisimulada curiosidad y les conté por qué estaba allí. Les hablé de mi abuelo y de mi largo viaje hasta llegar a Martos. Mientras hablaba, algunos usaron el teléfono para avisar a sus casas que no irían a comer, y otros se valieron de unos chicos que entraron a comprar helados para el mismo propósito. El mesonero, dispuesto a no perderse ni un detalle, colocó botellas de todo cuanto se bebía encima de la barra. Cuando terminé, se miraron entre ellos.

—Vaya historia, chileno. Vaya historia. Hay uno que lleva tu apellido. No vive lejos de aquí. Es un veterano y creo que se llama Angel —informó el de los tomates.

—Sí, señor. Se llama Angel y vive con su mujer. Pero creo que ése no es de Martos. Creo que es de Segovia —apuntó un tercero.

—Hombre. Don Angel vive aquí desde que tengo uso de razón —afirmó el de los tomates.

—¿Sabes cuándo nació tu abuelo?

—Sí, conozco la fecha.

—Lo que debemos hacer es preguntarle al cura. Ese conoce la vida de Martos mejor que nadie.

—Claro. Como se mete en todo.

—Es su oficio. Pastelero a tus pasteles, y el cura a chismorrear con las viejas.

—Pero a esta hora debe de estar comiendo y no atiende ni a Cristo.

—Podemos esperar. Manolo, ¿qué tal si pones unas tapas?

A las cuatro de la tarde habíamos dado cuenta de casi medio jamón y agotado la existencia de tortilla. Otros hombres se unieron al grupo, rápidamente informados por los que ya conocían la historia.

Comandados por el de los tomates nos dispusimos a visitar al cura, pero antes quise pagar el consumo.

—Qué cuenta. Con tu historia lo hemos pasado mejor que con la tele. Esperad, que también voy a ver al cura —declaró el mesonero.

El cura era por lo menos septuagenario, de los de sotana. Con muestras de sobresalto salió a enfrentar al grupo que irrumpía en la paz de su iglesia.

—¿Qué se os ha perdido por aquí?

—Tranquilo, señor cura, que venimos con buenas intenciones.

—Pregunto, porque nunca os veo en la misa.

El de los tomates, ya aceptado como vocero del grupo, expuso al cura mi historia y los motivos de la visita. Entonces nos invitó a pasar a una habitación de techos altos con los muros cubiertos de libros de antigua empastadura. No le llevó mucho tiempo dar con la fe de bautizo de mi abuelo.

—Acércate —me llamó el cura.

Más de un siglo había pasado por aquel folio. Ahí estaba el nombre de mi abuelo y los de mis bisabuelos. Gerardo del Carmen, hijo de Carlos Ismael y de Virginia del Pilar. Ese documento daba testimonio del primer acto público de un hombre al que le sentaban perfectamente los versos de César Vallejo: «Nació muy niñín mirando al cielo, luego creció, se puso rojo, luchó con sus células, sus hambres, sus pedazos, sus no, sus todavía...», y que a lo largo de su vida conocería la cárcel, la persecución y el exilio por sus ideas libertarias.

—Estos tienen razón. Toma por esa calle que se llama de la Virgen hasta el número doce. Allí vive Angel, el hermano menor de tu abuelo, el único de sus cinco hermanos que todavía vive. Tienes que gritarle, porque está sordo como una tapia. Que Dios te bendiga por haberlo encontrado. Es un milagro —dijo el cura acompañándome hasta la puerta.

Al salir de la iglesia había corrido la voz del milagro y algunas ancianitas se persignaban a mi paso. Seguido por una numerosa comitiva subí la calle de la Virgen y me detuve frente al número indicado.

La casa era blanca como todas y tenía un portón de madera verde. No me atrevía a llamar, y ninguno de mis acompañantes tomaba la iniciativa. Todos permanecían silenciosos y, al mirar aquellos rostros curtidos por el sol, me pareció que la situación tenía mucho de tragedia, y no me explicaba la razón.

Años más tarde, cuando supe todo lo que debía saber de Martos, entendí que en esa región, la más empobrecida —que no pobre— de Andalucía, los hombres, tarde o temprano, emprendían el camino de bajada hacia la costa y no regresaban jamás. Y si alguno lo hacía, era siempre un derrotado.

—¿Pero qué os pasa, chismosos? ¿Es que no tenéis nada que hacer? —preguntó el de los tomates, y la comitiva empezó a retroceder.

—Vamos, volved a vuestros asuntos que aquí el sol os resecará todavía más las cabezotas —indicó otro.

—Luego te pasas por el bar, ¿eh? —se despidió el mesonero.

Me dejaron solo frente al portón. Antes de llamar pasé la mano por la áspera superficie. Estaba muy caliente. El tono verde oscuro con que estaba pintado atraía y conservaba el calor solar. Dejé la mano allí, esperando que esa energía me llenara el cuerpo y me diera el valor necesario para llamar. Pero no necesité hacerlo, pues el portón cedió a la presión de mi mano.

Empujé, y entonces vi al anciano.

Dormía apaciblemente recostado en una silla de playa a la sombra de un limonero. El portón daba directamente a un patio embaldosado. Al fondo estaba la casa, invariablemente blanca, y por todas partes se veían macetas con geranios. Junto al anciano había una mesa, y sobre ella un vaso de agua y unos terrones de azúcar. Busqué en las baldosas un testimonio de mi infancia, y allí estaba, en dos o tres moscas aplastadas, secas por el sol.

Mi abuelo practicaba la misma diversión: se echaba un poco de azúcar a la boca, la humedecía con un buche de agua y enseguida escupía la mezcla. Entonces ponía un pie levemente alzado sobre la dulce trampa y esperaba a que llegaran las moscas. Luego, ¡platsch!

—¡Ay, Gerardo! ¿Cómo puede ser tan malvado? —lo reprendía la abuela.

—Favor que le hago a la humanidad. Si estos bichos evolucionan se transforman en curas o militares —respondía el abuelo.

Me acuclillé frente al anciano cuidando de no importunar su paz. Dormía con la cabeza ligeramente caída sobre un hombro. A ratos movía los labios y las cejas. ¿Qué imágenes poblarían sus sueños? Tal vez entre ellas estuviera la de su hermano Gerardo, mozo aún, recogiendo aceitunas, o caminando juntos loma abajo, hacia Jaén, algún domingo de toros, o asomados al vacío en la Peña de

Martos, desde donde antaño arrojaban a los condenados.

El rostro surcado por infinitas arrugas y con una rala barba blanca se veía saludable. El cuerpo era delgado, las manos grandes, los dedos gruesos delataban al campesino. Y las piernas eran largas, como las de mi abuelo. Buenas piernas para caminar.

De pronto abrió los ojos. Me vi reflejado en sus pupilas grises, de brillo inteligente. Ordenaba mi imagen entre sus recuerdos.

—Tú eres Paquito, el hijo de la lechera.

—No, no soy Paquito.

—No te oigo, hijo. ¿Qué dices?

—No, don Angel, no soy Paquito —dije subiendo el tono.

—Entonces eres Miguelillo. Ya era hora de que vinieras, chaval.

—Don Angel, ¿se acuerda de su hermano Gerardo?

Entonces la mirada del anciano traspasó mi piel, recorrió cada uno de mis huesos, salió al portón, a la calle, subió y bajó lomas, visitó cada árbol, cada gota de aceite, cada sombra de vino, cada huella borrada, cada ronda cantada, cada toro sacrificado a la hora fatídica, cada puesta de sol, cada tricornio que se plantó insolente frente a la heredad, cada noticia venida de tan lejos, cada carta que dejó de llegar porque así es la vida carajo, cada silencio que se fue prolongando hasta hacer certidumbre el absoluto de la lejanía.

—Gerardo... ¿uno al que le decían el Culebra?

Huidizo mi abuelo. Temido y buscado. Cambiaba de piel y de nombres para abrigar el mismo amor insurrecto.

—Sí, don Angel. Así le decían.

—Mi hermano... ¿uno que se fue a América?

Sí. Uno que se fue a América. Uno entre tantos que subieron a los barcos llenos de esperanza. Españoles que, cuatro siglos después de la invasión armada de América partieron en busca de la paz, y fueron bienvenidos y encontraron madera para levantar sus casas, noble cera de laboriosas abejas para pulir sus mesas, vinos secos para modelar los nuevos sueños y una tierra que les dijo: uno es de donde mejor se siente.

Mi abuelo. Uno que se fue a América. Uno que cruzó el mar y al otro lado encontró oídos receptivos que esperaban su voz: «El contrato social es una infamia de los enemigos del hombre. La naturaleza nos orienta para que arreglemos nuestras cuitas dialogando de manera fraterna. No se puede reglamentar lo que la vida ya ha reglamentado», decía mi abuelo cuando yo era un niño y lo acompañaba a las veladas del Socorro Obrero.

—Sí, don Angel. Uno que se fue a América.

—¿Tú eres mi hermano?

Desde muy dentro, mi abuelo me impulsaba a responderle: «Sí, dile que sí y abrázalo. Todos los hombres somos hermanos y en la indefensión de la vejez es cuando afloran las eternas y frágiles verdades».

—No, don Angel, su hermano Gerardo era mi abuelo.

El semblante del anciano se tornó serio. Se acomodó en la silla, puso las nervudas manos sobre las rodillas y me examinó de pies a cabeza, de hombro a hombro. ¿Me pediría tal vez un papel? ¿O que me abriera el pecho y le enseñara el corazón?

—María —llamó.

De la casa salió una anciana vestida de riguroso luto. Llevaba el cabello plateado anudado en un moño y se quedó mirándome con expresión cariñosa. Entonces, luego de carraspear, don Angel dijo el más hermoso poema con que me ha premiado la vida, y yo supe que por fin se había cerrado el círculo, pues me encontraba en el punto de partida del viaje empezado por mi abuelo. Don Angel dijo:

—Mujer, trae vino, que ha llegado un pariente de América.

Ultimos títulos